STORIE

Silvana Giacobini

Albertone

Alberto Sordi, una leggenda italiana

CAIRO

www.cairoeditore.it/libri

Published by arrangement with Delia Agenzia Letteraria

ISBN 978-88-6052-880-3

© 2018 Cairo Publishing S.r.l.,
Corso Magenta 55, MILANO

I EDIZIONE: febbraio 2018
II EDIZIONE: giugno 2018

Sommario

ALBERTONE

Prefazione

Un incontro ravvicinato

Sordi, gli italiani di varie generazioni lo ricordano o lo conoscono soprattutto attraverso i suoi film replicati in tv *forever*, magari in orari notturni, anche se non conciliano il sonno perché descrivono i difetti e le disgrazie incorreggibili della nostra società. Oltre l'Italia del *boom* degli anni Sessanta, gli adulteri seriali e i mariti impazienti a farsi vedovi, a tenere banco sono gli avidi palazzinari, i funzionari corrotti, i magistrati impotenti davanti alla crudele lentezza dell'iter giudiziario, gli arrampicatori sociali, i borghesi piccoli piccoli, i medici della mutua che si vendono, i mercanti di armi e di morte, le mogli avide che chiudono gli occhi sui tradimenti o le *'bbone* dell'epoca, le maggiorate fisiche strizzate dal bustino, seni prorompenti e fianchi giganteschi specchio di una femminilità materna in cui rifugiarsi dopo le ristrettezze post-belliche.

Alberto Sordi ha scandito l'evolversi della società italiana ma, a prescindere dalla sua bravura, quando mi ritrovo a guardarlo sullo schermo non posso non ricordare il mio primo incontro ravvicinato e come sarebbe potuta cambiare la mia vita. Facciamo un salto indietro, verso la fine degli anni Sessanta, quando fatti i primi passi nella comunicazione come presentatrice e autrice alla Tv dei Ragazzi in Rai, ero conduttrice della Rassegna Cinematografica di Sorrento e dei David di Donatello al Festival Internazionale del Cinema di

Taormina. Affiancavo e imparavo il mestiere dall'indimenti-cabile Lello Bersani, il giornalista radiofonico che era diven-tato un divo a furia di intervistare i divi come Sophia Loren, Mastroianni e il Gotha del cinema italiano e internazionale. Parlando l'inglese meglio di Lello, mi trovai a intervistare in diretta per la Rai i divi di Hollywood che farfugliavano le ri-sposte spesso in preda a un'allegria sospetta, perché prima di apparire in pubblico bevevano, e non poco. Capii di essere coraggiosa visto che non morivo con la saliva azzerata e le gambe tremanti davanti ai milioni di telespettatori e ai 25mi-la stipati nel Teatro Greco. Pur in ritardo, continuavo i miei studi all'università e nel mio futuro vedevo un lavoro di av-vocato, magistrato o notaio, seguendo le orme di mio nonno Francesco, di mio padre Mario e di mio zio Nicola, ma la vita evidentemente mi riservava un'altra strada. Grazie alle prime esperienze con Lello Bersani, che si sarebbero ripetu-te nelle varie edizioni delle rassegne cinematografiche, fui invitata a presentare un evento nell'ambito del Festival dei Due Mondi di Spoleto, fondato dal compositore Gian Carlo Menotti. Con altri esponenti della comunicazione, fui invita-ta a una cena, con relativa ospitalità, nella villa dei Monini, la dinastia eccellente degli industriali produttori dell'olio extra vergine d'oliva, che si trovava a una certa distanza dalla citta-dina umbra. Tra gli ospiti quella sera spiccavano Monica Vit-ti e Alberto Sordi. Pieni di energia e di simpatia, non si ri-sparmiarono, seguendo l'attitudine a intrattenere gli amici divertendosi per primi loro. Monica, alta, bionda, era bellis-sima, ma in un modo tutto suo, personale. Come l'aspetto, altrettanto unica era la sua personalità d'artista. Spontanea e gentile, si capiva che nella vita aveva sempre anteposto il suo proposito di restare normale nel mondo dello spettacolo che normale non è. La fulgida carriera di Monica stava a dimostrare il talento e l'intelligenza di una grande attrice, nata come drammatica con Michelangelo Antonioni e via via, trasformatasi in brillante e comica, pronta a impersonare i tic e le debolezze femminili. Affollano il suo carnet di grande interprete le disonorate con la pistola, l'eroina del fumetto Modesty Blaise con la regia di Joseph Losey, le mogli insoddisfatte della buona borghesia, le popolane vittime della gelosia dei loro amanti. Monica quella sera si era scatenata e raccontava una barzelletta dopo l'altra sceneggiandole come fossero sketch da cabaret. A un certo punto, chinandosi su un tavolo e dando la schiena agli ospiti, Monica mimò una prostituta appoggiata con i gomiti alla balaustra di un ponte. Abbordata dai clienti, continuava a rifiutarli con la battuta tormentone «Ma hai visto l'anca?» e si batteva con la mano la rotondità del sedere, finché, raggiunta un'offerta imperdibile dell'ennesimo cliente ammaliato, si raddrizzava e si allontanava con lui zoppicando sbilenca a causa dell'anca in questione. Poi il testimone passò ad Albertone, che non esitò a raccontare che al Festival del Cinema a Mosca aveva accettato felice l'invito nella stanza d'albergo dell'amica e collega Sophia Loren con la promessa di una spaghettata verace, un'occasione da non perdere perché lei era l'unica che si portava sempre ovunque andasse gli spaghetti italiani, la "pummarola" e il parmigiano. Ma gli era passato l'appetito non appena aveva visto che per scaldare l'acqua e poi scolare la pasta nel lavandino, Sophia aveva usato un fornellino sulla tavoletta del water. Quindi si era dilungato a raccontare gli effetti delle visioni e dei profumi discordanti suscitando i sorrisi un po' tirati dei presenti. Non pago, Alberto, di cui si favoleggiava già che avesse il braccino corto, si lasciò scappare una battuta sui soldi. Forse inconsapevole di quanto la sua fama di avaro si sarebbe accresciuta con il tempo, e comunque conscio che quel salotto accoglieva amici e non giornalisti dalla penna indiscreta, Alberto disse che i soldi guadagnati col sudore non li avrebbe mai lasciati in beneficenza agli orfanelli. «*E cchè so' scemo? Me li magno tutti prima de' morì...*» disse con il ghigno cinico che lo aveva reso celebre. In realtà, a settantadue anni nel 1992 Alberto avrebbe smentito se stesso donando con la sua Fondazione un lotto di terreno all'Opus Dei per erigerci un Campus Bio-Medico, un Centro per la Salute dell'Anziano che fu costruito nel 2002, e più tardi istituendo borse di studio per sostenere nei loro sogni i giovani aspiranti attori.

Quella sera Alberto mi fece una corte discreta, che lo divenne meno quando a notte fonda prese a bussare alla porta della mia stanza e a chiedermi di aprire al grido di «Silvana! Silvana!». Io finsi che la sua vociona baritonale non fosse riuscita a svegliarmi. Anche se insisteva proclamando che voleva solo offrirmi un po' di compagnia amichevole, io non ci caddi e non diedi risposta. L'indomani mattina all'affollata prima colazione offerta dagli anfitrioni Monini, pensavo che, offeso per la figuraccia, non mi avrebbe rivolto il saluto. Invece, con mia grande sorpresa, fu gentilissimo, s'inchinò e con un baciamano mi scostò la sedia per farmi accomodare a tavola. Poi prese a conversare con grande affabilità, continuando a corteggiarmi con la discrezione che gli era mancata la notte precedente chiedendomi dove avrebbe potuto rivedermi, mentre io rispondevo a monosillabi e non vedevo l'ora di tornare a Spoleto. Quella mattina dunque Alberto Sordi si comportò in modo impeccabile, cercando di cancellare, inutilmente, l'aggressiva molestia di poche ore prima. Fu il primo di tanti incontri che nel proseguire degli anni ci furono per ragioni professionali, a Taormina e a Sorrento sul palcoscenico, a Roma, a Milano, a Salsomaggiore, quando, ormai anziano, mi diede un dolcissimo bacio paterno. Tutti fermati dagli scatti fotografici in bianco e nero e a colori, in cui emerge sempre lo sguardo seduttivo di un uomo abituato a corteggiare le donne. A proposito del vaso di Pandora che si è aperto sulle molestie non solo hollywoodiane dopo lo scandalo Weinstein, ricordo l'approccio plateale di Roman Polanski, il regista inseguito dalle autorità americane per lo stupro della tredicenne Samantha Geimer. Durante una riunione di lavoro in una suite del San Domenico di Taormina, alla presenza di Warren Beatty, il produttore Bruce A. Evans e due addette stampa, dopo un balzo me lo ritrovai sul divano accovacciato sulle gambe, che rideva in modo isterico. È ovvio che lo feci rotolare a terra.

Dopo Spoleto, qualche tempo dopo, ci fu una nuova proposta di Alberto e a portarmela avanti fu un industriale di fama, Guido Alberti, il produttore del liquore Strega e fondatore del Premio letterario omonimo, marito di Lucia, la famosa astrologa dai magici occhi verdi detta la Strega gentile, che divenne un apprezzato attore caratterista grazie a Fellini in *Otto e mezzo*. Alberti mi disse senza mezzi termini che Sordi era interessato a frequentarmi e dato che cercava moglie, da cosa poteva nascere cosa, spiegandomi che lui ci teneva molto perché gli ero rimasta impressa dall'incontro in Umbria. Io ringraziai Guido Alberti, e con qualche scusa, feci orecchie da mercante, declinai l'invito a incontrare Sordi a casa Alberti ai Parioli.

Non fu la sola volta che impressi alla mia vita una direzione diversa da quella che le stelle mi offrivano. Corsi via mentre Federico Fellini m'inseguiva insistentemente per via del Corso a Roma, perché mi aveva fatto paura lo sguardo scrutatore che mi soppesava. Così entrai nel bar Alemagna e mi nascosi, lui aspettò e aspettò fuori e io uscii soltanto dopo che lui se ne fu andato.

Ma questa, come si suol dire, è un'altra storia. Quella di Albertone, invece, è molto più interessante.

1

A Milano e ritorno

Ogni mattina gli toccava arrangiarsi per andare alla Città del Cinema sulla via Tuscolana appena battezzata Cinecittà. Poteva arrivarci in bicicletta, ma era un'impresa da sfiancare un campione come Girardengo, oppure poteva farsi dare un passaggio sulla vecchia Balilla nera dal maestro Proietti, l'amico di famiglia, o prendere la camionetta fornita di panche di legno, che portava agli stabilimenti cinematografici. Dall'agosto di quell'anno, il 1937, era stato inaugurato il "tram delle stelle" con la tratta che da Termini attraverso la Tuscolana arrivava al Quadraro e poi al grande comprensorio degli studi, ma Alberto preferiva la camionetta anche se la fermata in cui acchiapparla era molto lontana dal numero 7 di via San Cosimato dov'era nato e cresciuto. Da Trastevere doveva passare il fiume e aveva poco da scegliere, o attraversava Ponte Sisto o Ponte Garibaldi, e poi via andare con il cavallo di San Francesco, i piedi che bollivano per quanto camminava e lo facevano arrivare già sfinito alla fermata.

L'aria di Roma, però, lo consolava, era meravigliosa, soprattutto dopo avere assaggiato quella di Milano. E il sapore amaro della sconfitta. Alberto adesso era tornato a casa, con i fratelli che adorava, Giuseppe, detto Pino, Aurelia e Savina, con mamma Maria, che non smetteva di fare la maestra pure tra le quattro mura domestiche quando lo bacchettava per un congiuntivo sbagliato, e con papà Pietro, il professore

15

musicista, che aveva l'arte nel sangue e suonava il bombardino, ovvero il basso tuba, nel teatro più importante di Roma, il Costanzi. Ovvero, il Teatro Reale dell'Opera com'era più corretto definirlo da quando l'avevano inaugurato in pompa magna.

I Sordi erano una famiglia unita, senza tanti soldi da spendere e spandere, ma con una vita ordinata e dignitosa di cui i genitori andavano fieri. Perciò avevano sofferto quando Alberto si era incaponito a fare l'artista anche lui, come il padre. Magari, però, fosse stato come lui amante della musica classica, pregava mamma Maria invocando il cielo di dargli ancora l'occasione di cambiare idea. E invece, no, voleva fare l'attore. Alberto da piccolo cantava con una vocina bellissima da soprano, che poi, un miracolo quasi mostruoso, si era trasformata a quattordici anni nella voce grave da basso. Un vocione da orco, ma che prometteva bene, secondo papà Pietro. Mamma voleva che continuasse con il canto, ma prima di tutto, doveva diplomarsi all'Istituto di Avviamento Commerciale. Ci mancava solo lo studio, con tutti quei conti da ragioniere, pensava Alberto che non ne poteva più di andare al "Giulio Romano", con l'unico vantaggio che non distava tanto da via San Cosimato. Voleva seguire la sua passione, e così, neanche a sedici anni compiuti se n'era andato al Nord. Tanto aveva pregato, tanto aveva battagliato, che era riuscito a spuntarla. Un po' di soldini glieli avevano dati i genitori e un po' li avrebbe guadagnati lui stesso e così si era iscritto all'Accademia dei Filodrammatici nella lontana città di Milano.

Finalmente di ritorno a Roma, quando usciva da casa, la prima cosa che faceva Alberto era riempirsi i polmoni con l'aria profumata anche se in certi angoli puzzava di spazzatura e topi e gatti ci andavano a nozze. Pure quella puzza gli piaceva, bastava allontanarsi un attimo e restava l'aria che aveva sempre respirato a Trastevere, l'aria di casa e di famiglia. Gli piaceva sentire le voci del vicinato, il richiamo dell'arrotino, l'aroma del pane che usciva dalla bottega del sor Antonio, dove andavano a comprare gli sfilatini croccanti. Ci aveva provato, eccome, a mantenersi a Milano. Con l'amico Gino, avevano messo su un duo, lui era bravo a imitare e insieme si presentavano come fantasisti, come si chiamavano in gergo teatrale quelli che sapevano fare tutto e niente di preciso, raccontare barzellette, cantare e ballare.

C'era voluto tanto coraggio, ma erano giovani e pieni di speranze con tanta voglia di successo. E invece non avevano portato a casa niente, più fischi che applausi, scherniti dal ghigno degli spettatori che Alberto vedeva benissimo dal palcoscenico. Il pubblico pensava che gli attori fossero orbetti, abbagliati com'erano dalle luci. E invece, dopo qualche istante, gli occhi si abituavano e vedeva meglio lui le facce di quelli seduti in sala, che loro lui che sgambettava e faceva battute sul palco. Meglio il ghigno, però, meglio i *buuh* che la noia: la vedeva benissimo dipinta sulla faccia dei cornuti, come li chiamava lui, che venivano a teatro solo per vedere le cosce delle ballerine. Quando toccava a lui e a Gino, con gli occhi bistrati e il rosso sulle guance, vestiti con la giacca a quadrettoni di due taglie in più, tanto per fare ridere, quelli non ridevano per niente. Avevano la faccia schifata, perduta in una noia rabbiosa o in chissà quali pensieri. Aspettavano solo le ragazze, che poi erano altro che ragazze. Non gliene fregava niente agli spettatori che non avessero più vent'anni e la ciccia o la cellulite che strabordava dal costumino, le tette flosce strizzate dal reggiseno con qualche sbaffo di paillettes, l'ombelico che occhieggiava dalle mutande di raso. Anche se la compagnia era povera, quelli leggevano il nome della soubrette sulla locandina in cui si enfatizzava il corpo di ballo, "dieci Veneri dieci", e lasciavano la moglie a casa per darsi una botta di vita nei teatri di periferia. A sovvenzionare questi teatri era stato Mussolini con incredibili sgravi fiscali a condizione che si attrezzassero a diventare anche sale cinematografiche. Conservavano però tanto di sipario con le cortine di velluto, un po' di lampadine a corona sul bordo del palcoscenico e la passerella. Su cui avveniva il clou dello spettacolino quando alla fine sfilavano il capocomico presentatore, il cantante, i comici e, per ultime, la primadonna e le ballerine su cui si rovesciavano più battute salaci che fiori. Negli anni Trenta i cinema-teatro erano proliferati sulle ceneri del varietà di cui un divo irraggiungibile con le sue macchiette era Ettore Petrolini e Alberto sognava di imitarlo.

Il pubblico dell'avanspettacolo era eterogeneo: operai, soldati in libera uscita, piccolo-borghesi, vecchietti arrapati, che si sedevano pieni di aspettativa per quell'oretta di svago prima della proiezione del film. In sostanza, era composto soprattutto da uomini soli che qualche spicciolo in più lo sborsavano volentieri al botteghino a condizione di vedere un po' di carne nuda. Se anche la decina di ballerine non sapeva andare a tempo con l'orchestra che strepitava sotto il palco, era lo stesso uno spettacolo erotico. Alberto le considerava tutte vecchie, *pussa via*, gli avrebbe detto se ci avessero provato con lui quelle di trent'anni e più, il doppio della sua età, navi scuola dai molti passaggi, che nemmeno nelle case chiuse avrebbero trovato lavoro, pensava con l'arroganza dei suoi sedici anni. Con due o tre delle ballerine più giovani e disinibite però era andato a letto e gli avevano insegnato parecchio. Fare l'amore era quasi come recitare, bastava imparare qualche trucchetto e via andare. Erano piccole soddisfazioni, perché il loro duo di fantasisti non andava avanti. E così si erano resi conto che stavano perdendo tempo mentre diventavano sempre più poveri, un peso inutile, solo due bocche in più da sfamare. «Sordi, sei troppo giovane!» gli berciava il capocomico che a lui e a Gino dava uno stipendio da fame. «Andate a farvi le ossa, ma lontano dalla mia compagnia!»

Non ce l'avevano fatta, insomma.

Mentre la camionetta per Cinecittà ansimava sulla Tuscolana con il tubo di scappamento che schioppettava ogni tanto e il telo del tetto che sobbalzava, Alberto rimuginava sulla sua esperienza milanese. Non si sentiva abbattuto, anzi, annotava su un taccuino qualche appunto per organizzare nuovi lavoretti oltre a quello di comparsa che stava facendo. Spesso guardava fuori. Ormai conosceva a memoria il panorama spoglio della campagna romana con l'Acquedotto in vista, i rari ciuffetti di erba che spuntavano dalla terra brulla che contornava la strada. Per arrivare a Cinecittà ci voleva una vita e così si studiava i volti dei compagni di viaggio che gli si affollavano intorno. C'erano gli inurbati, che provenivano dalla Ciociaria, da Frosinone, da Viterbo, qualcuno persino dalla Toscana. Ascoltava le loro voci e ripeteva tra sé il loro accento: erano facili da imitare. Tante donne, giovani e vecchie, e uomini con la fame dipinta in faccia, tutti pronti a fare le comparse per guadagnare qualcosa. Erano maschere, da cui imparava i tic, le espressioni, la mimica. Era una scuola più verace degli insegnamenti dell'Accademia.

Già, l'Accademia dei Filodrammatici. Anche quello era stato uno smacco. In particolare c'era un'insegnante, una polentona del Nord, una donna acida che era invidiosa della gioventù a cui doveva insegnare la recitazione. Per tutti lo scoglio era la dizione, ma in fin dei conti non era così insormontabile. Era quella maestra col birignao che lo tormentava facendogli ripetere come una scimmia ammaestrata *quattordici*, con la "o" stretta, *chiesa*, con il dittongo "ie" disteso, o parole come *borsa* da articolare con la "esse" dolce e non come faceva lui, *borza*, con la zeta. E poi *arrembaggio*, *guerra*, e tante parole con la doppia erre che lui declamava alla romana. Proprio con *guerra* che si ostinava a pronunciare *guera* l'aveva fatta imbufalire attirandosi una ramanzina che ancora gli bruciava. «Se continuerai a pronunciarla con una erre sola, vuol dire che sei negato, caro Sordi. Cambia mestiere, tanto non riuscirai mai a fare l'attore. Tornatene a Roma e restaci.»

Certo che c'era tornato e ci sarebbe restato, brutta stronza.

Alberto era sicuro che un giorno o l'altro sarebbe arrivato al successo. No, non era una favola come le fiabe del disco per i bambini che aveva inciso per la Fonit a Milano. Era il 1937 e a diciassette anni si sentiva grande e anche fortunato. Aveva trovato il modo per non perdere la voglia di fare cinema e si accontentava per il momento delle comparsate.

Lui aveva il fuoco sacro e l'avrebbe dimostrato, in primis ai genitori e poi al mondo intero.

Fuoco... fuoco...

Al pensiero del fuoco, quella mattina mentre andava a Cinecittà Alberto si era sentito male. Pochi giorni prima, c'era mancato poco che morisse bruciato come quei poveretti che aveva visto urlare avvolti dalle fiamme. Non era stato Nerone a dargli fuoco ma Scipione l'Africano.

2

La lezione del fuoco

Si girava una scena in cui veniva celebrato Scipione detto l'Africano. Alto, ieratico con la toga bianca, l'attore che lo interpretava, Annibale Ninchi, faceva la sua bella figura circondato dagli altri senatori e proconsoli. Alberto lo invidiava, mentre vestito da soldato romano era schierato con il resto dei giovani in corazza che davano le spalle alla folla plaudente delle comparse. Se quel Ninchi fosse un genio o un cane non l'avrebbe mai saputo perché era troppo lontano per sentire come recitava. Magari diceva anche lui *guera*, sarebbe stata una bella soddisfazione, ridacchiava tra sé e sé Alberto, che dimostrava più dei suoi diciassette anni, alto, ben fatto, con gli occhi azzurri come una star americana. Gli piaceva interpretare un soldato, peccato che il ruolo era davvero risicato, ma era un bell'inizio da generico, un passo avanti alla comparsa, prendere parte a un kolossal come *Scipione l'Africano*. Ciak dopo ciak, stava impassibile e immobile con le gambe aperte, la spada che gli pendeva al fianco, l'elmo con il pennacchio che lo faceva sudare. Forse il caldo insopportabile proveniva dai giganteschi riflettori che illuminavano la scena e arroventavano l'aria, forse ad aumentare la temperatura era il fuoco che ardeva nelle buche disseminate sulla spianata su cui si affollava la folla dei plebei. Il lavoro non era faticoso in sé per sé: stare fermi senza parlare, o dire un'unica battuta, non costava nessuna fatica. Ma a fine giornata Alberto si ritrovava comunque esausto a causa delle riprese ripetute più volte, delle pause interminabili e della tensione che lo sosteneva per tutte le ore che trascorreva a Cinecittà. Per diventare generico aveva tentato di tutto, aveva cercato persino di farsi raccomandare da papà Pietro, che era molto rispettato nell'ambiente dello spettacolo. Il film *Scipione l'Africano* era un kolossal che il regista Carmine Gallone girava senza badare a spese, dato che il regime fascista aveva deciso un enorme investimento per contrastare il successo delle pellicole americane. Il film faceva propaganda politica e si avvaleva del contributo delle Forze Armate italiane e il regista Gallone era una garanzia per ottenere il risultato voluto. La trama, da quello che risultava ad Alberto, era complicata. Sapeva che si svolgeva nel terzo secolo avanti Cristo e che Annibale Ninchi impersonava Publio Cornelio Scipione, un proconsole e anche senatore a cui, dopo la sconfitta di Canne, il senato romano ordinò di marciare su Cartagine. Scipione aveva ottenuto varie vittorie e il cartaginese Annibale, interpretato da Camillo Pilotto, lasciata in fretta l'Italia con il suo esercito, tornava in patria per difenderla. Lo scontro a Zama vedeva la vittoria di Scipione e così terminava l'egemonia di Cartagine sulle acque mediterranee mentre nasceva l'Impero e Roma diventava *Caput mundi*. Il berbero Massinissa aveva il volto di Fosco Giachetti e Catone era interpretato dal grande Memo Benassi. Le attrici erano bellissime, da Francesca Braggiotti che impersonava la regina Sofonisba, carica di gioielli e con il peplo che nascondeva a stento il corpo stupendo, a Isa Miranda, nei panni della patrizia romana Velia che copriva i riccioli d'oro con la stola. La Miranda era la donna di cui Alberto si era innamorato vedendola sullo schermo, misteriosa e affascinante co-

23

me Marlene Dietrich, la maliarda dal volto sensuale con gli zigomi alti, le palpebre pesanti, la bocca umida truccata, socchiusa come se fosse sempre in attesa di un bacio. Se fosse diventato famoso, avrebbe potuto stringere Isa Miranda tra le braccia e baciarla, e pure la Dietrich, altro che le ballerine di fila dell'avanspettacolo che aveva lasciato a Milano!

Erano da poco passate le due del pomeriggio e si stava preparando una scena di massa. Alberto si riscosse dai sogni con cui ingannava il tempo, perché una terribile puzza di bruciato aveva invaso l'aria circostante. Un denso fumo scuro si levava mentre urla terrorizzate provenivano dalla folla delle comparse. Molte di loro non riuscivano ad aggirare le buche in cui ardeva il fuoco e ci cadevano dentro. Avvolte dalle fiamme, una decina di persone bruciavano come torce umane, ma non era solo il fuoco a far morire in modo atroce. In preda al panico, la massa si muoveva correndo come una mandria impazzita e uomini e donne cadevano a terra e venivano calpestati.

Fuoco e fiamme sembravano perseguitare in quegli anni gli stabilimenti cinematografici. Ancora non si era spenta l'eco dell'incendio del 1935 che aveva distrutto i teatri di posa della Cines nel quartiere Appio Latino, e aveva spinto Luigi Freddi, l'allora direttore generale per la cinematografia, e il finanziere Roncoroni a far nascere la Città del Cinema situandola nell'immenso appezzamento di terra di 59 ettari verso la fine di Via Tuscolana, che si favoleggiava appartenesse ai principi Torlonia.

Le riprese del kolossal *Scipione l'Africano* furono dunque insanguinate davvero, non erano solo le battaglie simulate a lasciare i morti sul terreno. Carmine Gallone e il responsabile della produzione Scipione-ENIC Federico Curioni non erano riusciti a impedire il massacro, come pure i vari *capataz*, i responsabili della scelta delle comparse che regolavano le ore di lavoro e la paga. Il regime non permetteva di pubblicare le notizie di cronaca nera e le morti di *Scipione l'Africano* passarono così sotto un certo silenzio. Il film, con la colonna sonora composta da Ildebrando Pizzetti, che con Respighi e Malipiero rese grande la musica sinfonica del primo Novecento, fu presentato alla quinta edizione del Festival del Cinema Internazionale di Venezia e premiato come miglior film italiano con la Coppa Mussolini.

Un anno dopo, nel 1938, Alberto avrebbe avuto un piccolissimo ruolo in *La principessa Tarakanova* di Fëdor Ozep, nella versione di Mario Soldati, che insieme con Evelina Levi ne curava anche la sceneggiatura. Il diciottenne Alberto era uno studente portato al patibolo, ma almeno aveva la soddisfazione di partecipare a un film con la futura divissima Anna Magnani nel ruolo di un'aggressiva camerista.

Alberto imparò molto durante la partecipazione a *Scipione l'Africano*, compresa la terribile lezione che durante le riprese si poteva morire davvero. Quei morti non li avrebbe dimenticati mai più e nemmeno le loro urla di terrore. Anche a distanza di anni c'erano notti in cui si svegliava madido di sudore in preda all'incubo.

Alberto sapeva che era un segnale di ansia o di pericolo al quale doveva prestare attenzione.

3

Il nastro dei ricordi

«Sono emozionato di essere arrivato al 2000. Noi pensavamo che l'uomo sarebbe stato diverso, un occhio solo in fronte... (come nella fantascienza), e invece, eccomi qua. Questo è il vero miracolo!» Alberto aveva il volto disteso mentre ridacchiava della battuta e dimostrava meno dei suoi ottanta, splendidi anni, rispondendo a chi gli chiedeva che significasse per lui la svolta storica del terzo millennio. Perché raccontare l'alba della fine, che sarebbe avvenuta tre anni dopo, invece degli inizi di Alberto Sordi? La risposta la darà lui stesso con le parole che aveva scelto per descrivere l'essenza del suo lavoro di artista. Il nostro racconto si cristallizza così, come una pellicola che dalla parola "Fine" si riavvolga su se stessa, quasi compiendo il miracolo matematico del nastro di Moebius – in cui si può andare sempre avanti su una sola faccia e ritrovarsi da quella opposta – per ripercorrere a gambero la sua esistenza dove sparisca, confondendosi insieme, la separazione dei primi anni della sua carriera da quelli alla soglia della morte nel 2003 per una malattia incurabile.

Semplice e diretto, Alberto aveva descritto in che cosa consisteva secondo lui l'impegno artistico dell'attore a proposito dell'immenso Antonio De Curtis: l'attore amato dal pubblico a differenza dei comuni mortali quando appare sullo schermo sembra annientare la scomparsa fisica, dotato di una vitalità magica.

«Noi vediamo Totò vivo e vegeto nei suoi film, anche dopo tanti anni dalla sua scomparsa, perché l'attore cinematografico sopravvive alla morte con le sue opere.» Esprimeva così il senso straniante eppure scontato che suscita nel pubblico rivedere un attore maturo nei panni di un giovane innamorato o nelle varie età della vita, e potere continuare a ridere delle sue battute o a emozionarsi per sempre. Si avvertiva la premonizione incombente dell'addio, ma anche la consapevolezza che lui e le sue opere sarebbero sopravvissuti come l'indimenticabile Totò.

Carlo Verdone, per esprimere il suo rimpianto e il suo affetto per Alberto, ha raccontato una storia di cui è protagonista un'orchidea. Era una pianta alta, rigogliosa, gigante, su cui un giorno la moglie Gianna richiamò la sua attenzione. «Ti ricordi chi ce l'ha regalata?» gli chiese e lui ripescò dalla memoria quella sera che aveva invitato a cena Alberto. In omaggio alla padrona di casa aveva portato una piantina di orchidea. Cresciuta così grande e felice, per Carlo era il segno che Alberto avrebbe continuato a essere vicino a lui e alla sua famiglia, comunque andassero le cose. Anche quando figli e moglie sarebbero stati lontani, presi chi dal lavoro, e chi come Gianna, da un'altra scelta di vita, e lui, Carlo, solo nel suo bellissimo attico vicino alla Camilluccia, con un terrazzo enorme da cui si vede il mare dei tetti e delle cupole delle chiese di Roma.

Riavvolgiamo insieme con lui il nastro dei ricordi e torniamo a un'altra casa, quella della famiglia Verdone di via de' Pettinari dove, prima di acquistare la villa al Palatino di via delle Ferratelle (che prenderà il nome di via Druso), aveva abitato per lungo tempo anche Alberto con le sorelle Savina e Aurelia, quest'ultima la "signorina Sordi" che agli occhi di Carlo piccolo, quando la vedeva camminare per strada, era lo stesso Alberto travestito da donna. La camera da letto di Carlo era di fronte a quella di Alberto, in quanto entrambi i loro appartamenti davano anche sul vicolo delle Zoccolette. Carlo, come tanti bambini annoiati, giocava a buttare sassolini sui vetri della finestra all'angolo del penultimo piano. Il suo divertimento maggiore consisteva nel disturbare i dirimpettai per godere delle grida arrabbiate di Savina e di Aurelia o dei "famigli", se non dello stesso Alberto, che invano si affacciavano per vedere chi fosse il mascalzone che li infastidiva. Non mi stupisce, io da piccola a Pisa adoravo innaffiare con la pompa del giardino, e sentirli gridare, i disgraziati passanti al di là del muro della villetta di mio zio Nicola, allora pubblico ministero nella città toscana, o a Roma buttare cartoccetti di carta pieni d'acqua dal balcone dell'ufficio di mio padre riverito referendario alla Corte dei conti le volte in cui potevo andare a trovarlo.

Un salto temporale in avanti e inseguiamo Alberto, quando già famoso prese parte al provino per il film di Fellini su Giacomo Casanova. Era il 1976, lo stesso in cui sarebbe stato il monsignore marpione Ascanio La Costa che seduceva la sexy Stefania Sandrelli nell'episodio *L'ascensore* di *Quelle strane occasioni*. Al provino per Casanova si era autocandidato, dato che Fellini cercava "un vitellone invecchiato". Il regista aveva pensato anche a Michael Caine, Michel Piccoli, Jack Nicholson. Sperava in Gian Maria Volonté e poi invece scelse Donald Sutherland. Che, francamente, non era adatto al ruolo.

Con la sua solita ironia sorniona, Alberto si presentò con

il trench annodato in vita nello studio semivuoto, salvo qualche oggetto sparso qua e là, dove troneggiava, solitario arredo, uno specchio ovale, metafora dell'unico modo per l'essere umano di tentare di conoscere se stesso. Guidato dalla voce di Federico, cominciò a dire che lui era il sosia di Casanova e mettendosi di profilo con il mento alzato e inalberando il naso imperioso, indicava pieno di finto orgoglio il ritratto del grande seduttore appeso allo specchio. A un certo punto, indossati gli abiti settecenteschi e la parrucca incipriata, tra una battuta di spirito e l'altra, non rinunciò a confessarsi più serio che faceto. Nei panni di Casanova, insomma, raccontava qualche verità su se stesso, attribuendo al personaggio le sue esperienze personali. Lo faceva in quel provino che nonostante fosse concordato come uno scherzo tra amici di vecchia data, in fondo era un po' umiliante, in cui a beneficio di Fellini che fingeva severità e indifferenza, faceva le smorfie indossando di volta in volta la maschera dello spavaldo, del corrucciato, e poi del tenero e dell'offeso. Aggiungeva, però, al personaggio di Casanova quel quid di folle, di grottesco – parola del critico Luca Verdone – come faceva sempre nei suoi film che raccontavano l'Italia. «Casanova non si è mai sposato, eppure una moglie l'ha cercata molto... svizzere, tedesche, *fransuàs*, spagnole...» e batteva i tacchi in un immaginario flamenco, per poi proseguire imperterrito: «Non c'è, non esiste, la moglie è difficile da trovare...».

«E come deve essere?» gli chiedeva una voce femminile fuori campo.

«Molto, ma molto comprensiva, giovanissima, una bambina...» E qui scattava la famosa battuta. Afferrando una pupazza cicciona senza testa e senza gambe, appannaggio dello studio preparato apposta per lui, la strapazzava un po' e mostrando tutto il suo ribrezzo diceva: «*E che te vuoi sposa' n'estranea? La mattina te svegli e trovi 'sta fagottona vicino!*». E finiva con la domanda più crudele che un uomo possa fare a sua moglie «Ma chi sei?», rivolgendosi non all'ipotetica donna accanto da anni che meritava un briciolo, si fa per dire, di rispetto, ma al fantasma estraneo che gli potesse bazzicare per casa.

Alberto non si è mai sposato, eppure, come Casanova, aveva viaggiato molto e conosciuto biblicamente tantissime donne. Anzi, era stato "fidanzato tutta la vita", stando a quanto mi ha raccontato Enrico Vanzina. Se non fosse amore, di sicuro si trattava di attrazione fisica, del gusto di sedurre, del piacere di avere tra le braccia donne bellissime senza la fatica di portarle all'altare, e, soprattutto, senza lo sforzo di sopportarle dentro le mura domestiche. Se l'era portate a letto e, forse, qualche volta era stato vicino a innamorarsene. Di fotografie di donne non ce n'era nemmeno l'ombra, salvo una, nella sua villa al Palatino che aveva vinto all'asta nel 1958, battendo l'altro contendente, nientemeno che Vittorio De Sica, che però, non disponendo dell'altissima liquidità di Alberto, aveva dovuto rinunciare al sogno di una lussuosa dimora isolata dal resto della pazza folla con tanto di parco e piscina, eppure a un passo dalle Terme di Caracalla. La villa era davvero un rifugio per Alberto, che come tutti i comici era ben diverso dalle maschere divertenti e superficiali che indossava nei film. Adorava il silenzio, il raccoglimento, senza "estranee" per casa, all'infuori delle sorelle e, molto più tardi, del fratello Pino, quando avrebbe sostituito il segretario tuttofare e amministratore.

30

Quell'unica foto incorniciata sulla sua scrivania era della principessa Soraya, l'ex imperatrice dell'Iran, bellissima donna dai verdi occhi e lo sguardo melanconico. Lo studio era il suo sacrario. Seduto in poltrona vicino al caminetto, leggeva i copioni che gli arrivavano sempre molto numerosi, e quando erano brutti o poco interessanti, li sbatteva violentemente per terra, con un rumore sordo che si sentiva al piano di sotto, segno per i camerieri che erano da buttare nella spazzatura. Quando Alberto soffermava lo sguardo sul ritratto di Soraya Esfandiary, non poteva che ricordare la donna che più aveva amato.

Non la principessa Soraya e nemmeno l'altrettanto bellissima, misteriosa, Silvana Mangano.

Era un'attrice teatrale, celebre e di rara bravura, Andreina Pagnani.

4

Andreina, il primo amore

A ventotto anni, nel 1936, Andreina posava con il partner di scena Cesare Bettarini fasciata di paillettes che brillavano sotto le luci come le squame di una sirena e ne possedeva davvero il fascino con cui incantava le platee. La sensualità della giovane attrice risaltava nonostante fosse elegante e non appariscente, abile nel modulare la voce vellutata e dotata dell'intelligenza interpretativa che l'avrebbe fatta emergere nel difficile mondo del teatro. E non solo, sarebbe diventata in seguito con Tina Lattanzi, una delle regine del doppiaggio, dando voce a bellissime misteriose o aggressive, come Greta Garbo e Bette Davis, e una volta anche a Gina Lollobrigida quando era ancora impacciata dal dialetto di Subiaco.

Andreina Pagnani aveva una bellezza antica, che agli occhi dei giovani di oggi potrebbe apparire quasi modesta, senza il glamour androgino delle giovanissime blogger e influencer, ma aveva un magnifico sorriso e un naso aristocratico che le conferiva l'aria imperiosa di una regina. La carnagione perfetta brillava sul palcoscenico candida e compatta come madreperla e seduceva gli spettatori.

Il sacro fuoco dell'arte, come si diceva ai suoi tempi, l'aveva bruciata fin da adolescente, un disastro nelle prime decadi del Novecento quando per una donna esibirsi sulle tavole di un palcoscenico equivaleva a farsi giudicare una poco di buono. Il cinema negli anni Trenta stava crescendo, mentre il teatro restava il luogo dell'arte e della letteratura, con autori come Frank Wedekind, Ibsen, Shaw, Pirandello, D'Annunzio, Federico García Lorca, Bertolt Brecht. Andreina, però, era dotata di una tempra rara e, superate le resistenze della famiglia, a soli ventidue anni aveva vinto il Concorso Filodrammatico di Bologna raggiungendo il traguardo insperato di primadonna di una compagnia teatrale. Il successo che la rese stimata dal pubblico esigente del teatro, lo ottenne a partire dal 5 giugno 1933 con *La rappresentazione di Santa Uliva* nel Chiostro Grande della Basilica di Santa Croce di Firenze, ispirata alla storia di una martire cristiana vissuta nel quinto secolo, una bellissima fanciulla che convertiva la gente al cristianesimo e che, martirizzata nell'acqua bollente per uscirne miracolosamente viva, venne condannata alla decapitazione. Il testo teatrale era di un Anonimo del Cinquecento su adattamento di Corrado d'Errico, la musica l'aveva scritta il maestro Ildebrando Pizzetti in un breve arco di tempo, poco più di un mese, ispirato, come scrisse un critico, dalla fede e dall'umiltà davanti alla trascendenza divina. Il regista Jacques Copeau che dirigeva i nomi eccellenti della compagnia, con Andreina avrebbe lasciato un segno nella storia del teatro italiano essendo lei parte di un'élite un palmo al di sopra dei soliti teatranti, spesso declassati – a torto – a guitti senza gusto né futuro. Erano, tra gli altri, Sarah Ferrati e Memo Benassi, nei panni del Diavolo che tormentava Santa Uliva, Rina Morelli, l'indimenticabile voce della svampita "nata ieri" Judy Holliday e aristocratica moglie del Gattopardo di Visconti. Erano nomi e volti che fecero anche del cinema, come la stessa Andreina, che esordì con il film *Patatrac* nel 1931 per terminare più di trent'anni dopo con *I due vigili* del 1967.

Era nata a Roma sotto il segno del Sagittario il 24 novembre 1906, esattamente quattordici anni prima di Alberto. Quando s'incontrarono, lui aveva ventidue anni, ma si sentiva navigato, esperto, maturo. Di donne ne aveva avute parecchie, che pescava tra le comparse, le piccole commesse e non solo tra le ballerine di fila che gli si offrivano senza tanto ritegno, al contrario delle ragazze di Trastevere, dove tornava tra una pausa e l'altra delle tournée, che tenevano alla propria reputazione e aspiravano, vergini e pudiche, a un matrimonio borghese. Era il 1942 e conquistare Andreina, che a trentasei anni aveva raggiunto fama e successo economico, era una sfida impossibile. Proprio di quelle che allettavano il giovane Alberto, prestante e rigurgitante testosterone, molto di più delle facili conquiste che avevano costellato la sua breve esperienza di seduttore. In quel periodo Andreina aveva fondato la compagnia con Cialente e recitava accanto a Paolo Stoppa e Gino Cervi, l'attore che negli anni Sessanta sarebbe stato il Maigret più amato della televisione, mentre accanto a lui, l'attrice ormai matura avrebbe indossato i panni della sottomessa, amatissima, signora Maigret. Entrambi avrebbero interpretato le storie di Georges Simenon con i buoni auspici di un produttore molto giovane della seconda rete della Rai, un certo Andrea Camilleri, che a quel tempo non pensava nemmeno lontanamente a dare alla luce il commissario Montalbano, la sua creatura da dieci milioni e passa di telespettatori che nel terzo millennio avrebbe continuato a sbancare i dati Auditel nelle ostinate repliche, bis e tris, della Rai.

Oggi gli amanti più giovani vengono chiamati toy boys, i ragazzi giocattolo con cui le donne in età si divertono a giocare all'amore, le cosiddette "milf" e "gilf", orrende denominazioni anglosassoni corrispondenti a "mammina" e "nonnina" da portarsi a letto. Anche negli anni Quaranta, ovviamente, le donne avevano amanti più giovani ma erano storie tenute in gran segreto. Solo le attrici potevano rischiare i pettegolezzi, forti dell'aura di scandalo che circondava la loro vita, in cui le trasgressioni all'ordine morale corrente non pesavano più di tanto.

Andreina, la Dafne in *Aminta* di Torquato Tasso, non temeva di cimentarsi con i ruoli shakespeariani della *Dodicesima Notte* o di un'allegra comare di Windsor o con i personaggi aspri di Pirandello, e continuava a scegliere i partner co-protagonisti tra gli attori più importanti delle scene italiane, Aroldo Tieri, Rossano Brazzi – il futuro latin lover di Hollywood –, Carlo e Annibale della dinastia dei Ninchi. Recitava nei teatri più prestigiosi della penisola, nelle località più raffinate come il Giardino di Boboli a Firenze. A confronto, un giovanissimo ex teatrante fallito, un ballerino di fila dell'avanspettacolo, un istrione che si arrangiava alla radio, un comico se pur applaudito del varieté, apparteneva a un rango inferiore. Anche negli anni Quaranta non era una novità che vecchi commendatori ricchissimi raccattassero ragazze povere e belle e in cambio dei loro favori le mantenessero nel lusso. Diverso, invece, che fossero donne importanti ad avere amanti di parecchi anni più giovani, perché se la relazione fosse venuta alla luce, avrebbero rischiato la condanna borghese di una certa intellighenzia, giudicate patetiche vampire di sesso giovane. Alberto, però, oltre alla giovinezza trionfante, aveva una simpatia irresistibile che faceva dimenticare i modi un po' rozzi del trasteverino poco acculturato, e ben presto le difese della Signora del Teatro cedettero e divennero amanti. Oggi una donna di trentasei anni, l'età di Andreina quando cominciò la sua storia d'amore con

Alberto, è una ragazza ancora nella piena giovinezza, il fisico allenato dalla dieta e dalla palestra e il volto liscio senza rughe. Con la fecondazione assistita poi le speranze di maternità si spingono molto avanti fino a sfiorare i cinquanta. Se le dive di Hollywood sono spesso al secondo matrimonio e veleggiano verso il terzo, all'epoca una donna che si avvicinava ai quaranta era matura, e soprattutto non single ma zitella. Andreina, vedova in età giovanile, portava con sé l'idea della donna piegata dal lutto, e non se ne curava quando calcava il palcoscenico, perché aveva votato la vita all'Arte con l'A maiuscola e recitare per lei era una vocazione esclusiva, un'ascesi. Il matrimonio non rientrava fra le sue priorità. Meno che meno con un ragazzotto di quattordici anni più giovane.

Al contrario, Alberto aveva perso la testa al punto che sarebbe stata proprio lei, la divina Andreina, l'unica donna che avrebbe voluto sposare. Per di più in chiesa, davanti all'altare, con l'*Ave Maria* cantata da un tenore del Teatro dell'Opera, amico di papà Pietro, perché fin da allora, e sempre di più con il trascorrere del tempo, il giovane innamorato aveva un sentimento religioso che a volte sfiorava la superstizione.

Pietra di paragone, il ricordo di Andreina si affaccerà prepotente nella mente di Alberto ogni volta che sarebbe stato in procinto di capitolare e di chiedere la mano alle giovani donne che incrociava sulla sua strada. E tutte perdevano al confronto.

5
A testa bassa

A inculcargli il rispetto di Dio e della religione cattolica era stata soprattutto mamma Maria, l'insegnante elementare che curava la famiglia più attenta e protettiva di una chioccia. Il lutto per la perdita della prima figlia non l'aveva mai superato e solo pregare in chiesa la sollevava e le ridava coraggio. Il dolore alle ginocchia, quando restava a lungo genuflessa sull'asse di legno, contribuiva a stemperare per pochi attimi quello dell'anima. Con un piatto di buone fettuccine profumate al pecorino, che sapeva cucinare al dente per la soddisfazione di grandi e piccini, Maria dispensava consigli e attenzioni; in cambio la domenica pretendeva di essere accompagnata da tutti, a cominciare da papà Pietro, seguito da Giuseppe, Alberto, Aurelia e Savina in fila come soldatini, alla Santa Messa delle nove. Maria indossava il cappellino migliore e i guanti e appariva la signora degna della sua professione di maestra, anche se durante la settimana, quando i soldi non bastavano mai, preferivano tirare la cinghia, lei e Pietro, pur di far stare bene i ragazzi.

Alberto era un discolo anche se a casa era rispettosissimo dei genitori, in particolare della madre, che lui adorava come una Madonna. A tredici anni, con la voce sempre più baritonale, si divertiva a giocare con i compagni attaccandosi al tram senza pagare il biglietto finché il controllore gli dava dei colpi sulle nocche per staccargli le dita dalla maniglia e

37

farlo saltare giù. A undici aveva frequentato l'Istituto di Avviamento Commerciale Giulio Romano vicino a viale Trastevere a Porta Portese, noto mercato frequentatissimo anche oggi, e, con tutti quei noiosi calcoli che doveva studiare, se la cavava maluccio. Si sentiva già grande e fumava di nascosto nel gabinetto della scuola. La madre che conosceva i suoi polli, si recava spesso a colloquio con gli insegnanti per mettere una pezza all'infingardaggine di Alberto. «Ma era tanto buono e simpatico» ricordava anni dopo, quando era già diventato famoso, la sua insegnante di italiano Maria Amendola, la prima a cadere nelle spire del futuro fascino del giovane Sordi.

Nei ricordi di Alberto confidati a Grazia Livi, prende risalto la figura di una prostituta di nome Stella. Stando alla descrizione che ne faceva, si capisce come il suo racconto abbia influenzato Federico Fellini che ne rese un icastico ritratto in *Otto e mezzo* creando la gigantesca Saraghina, truccata come un mascherone, che mostrava le tette immense, e altro, soprattutto, ai convittori adolescenti di Rimini che con il mantello scuro della divisa svolazzante poi correvano via. Nella realtà, anche Stella si faceva pagare dai ragazzini di Trastevere. «Aveva i capelli neri intorcinati come serpenti» ricordava Alberto quando dodicenne capeggiava i compagni e a gruppi di dieci davano dieci soldi al donnone che sbucava da dietro un arco sbrecciato e si alzava la gonna per farsi guardare proprio lì, dove era proibito. Il forte imprinting erotico della donna esperta più grande lo segnò per sempre anche nell'attrazione per Andreina. Se avesse acconsentito a sposarlo, Andreina avrebbe incarnato, in una sorta di equilibrio metafisico, le due facce del femminino che Alberto non avrebbe mai trovato coincidenti: oltre all'essere donna sessualmente esperta, libera dalle convenzioni sociali, era seria e severa come una madre.

Sono rare le immagini che ritraggono insieme Alberto e Andreina, magari paludata con una pelliccia di visone o con una stola di cincillà come richiedeva la moda del tempo, una volta a una prima teatrale, un'altra a una cena con tanti colleghi. Il fotografo li riprendeva mentre parlavano con gli altri intervenuti, un po' lontani l'uno dall'altra, mai per mano o in atteggiamenti confidenziali. Lei fumava incurante di rendere più scura la voce e apparivano una coppia collaudata dagli anni, in cui la complicità affettuosa non richiedeva conferme esteriori, ma rivelava anche una consuetudine che sconfinava nella stanchezza. Andreina diventava sempre più intensa, il trucco che non copriva l'età, e Alberto, reso pingue dal successo, ormai non era più il giovanotto smilzo e aitante, ma incarnava anche nel quotidiano l'immagine delle varie maschere dell'*Homo italicus* che l'avrebbero reso celebre: il marito, lo scapolo, l'arrampicatore sociale.

Ormai gli anni Quaranta erano sfumati con la rincorsa di lui verso il successo. Dopo l'esordio drammatico in *Scipione l'Africano*, in cui da generico parlante era scampato alle fiamme, aveva avuto varie occasioni con ruoli che crescevano d'importanza, fino ad arrivare a *Giarabub*, con la regia di Goffredo Alessandrini, che da poco aveva divorziato da Anna Magnani. Raccontava l'eroica resistenza in Cirenaica di un manipolo di soldati e Sordi interpretava un tenente con il suo stesso cognome. La protagonista femminile era Dolores, con il volto di Doris Duranti. Bellissima, la più pagata del cinema del regime fascista, se anche fosse piaciuta ad

Alberto, era intoccabile, essendo l'amante del gerarca Alessandro Pavolini. Correva il 1942 e Andreina Pagnani era apparsa l'anno prima in *L'orizzonte dipinto*, per continuare poi nelle sue tournée teatrali, mentre Alberto, animato dalla certezza che sarebbe diventato un divo famoso, prendeva parte a molti film, uno dietro l'altro. I suoi registi erano Mario Mattoli, Carlo Campogalliani, Mario Soldati, Renato Castellani. Fino all'arrivo al primo incontro artistico con Fellini nel 1952, l'anno de *Lo Sceicco Bianco*. A proporsi con molta convinzione fu proprio Alberto all'amico Federico, dato che il regista faticava a trovare l'interprete adatto, a cui nella sua fantasia dava il volto di un bellone, tipo l'attore Rossano Brazzi, anche se lo cercava più volgare. La critica sullo *Sceicco bianco* fu assai tiepida, smentita molti anni dopo perché il film sarebbe stato inserito nei primi cento da salvare. Alberto spiccava nel ruolo del cinico Fernando Rivoli, il divo dei fumetti alla Grand Hotel, che si prendeva gioco dell'ingenua sposina, interpretata da Brunella Bovo. Le musiche erano firmate da Nino Rota, il cast era arricchito dal cameo di Giulietta Masina nei panni di Cabiria, una prostituta così patetica e tenera da diventare protagonista assoluta di un altro film del marito Federico. Era la svolta, Sordi, nell'intuizione di Federico, mostrava con il ritratto spietato di un poveraccio allupato, baciato dal piccolo successo di divo dei fumetti, il talento con cui avrebbe disegnato l'anno dopo, il 1953, il personaggio di Alberto ne *I Vitelloni*, in cui interpretava con efficacia la superficialità di un fancazzista sospeso tra il biliardo e gli scherzi. Indimenticabile la sua maschera tragica con il rossetto sbavato del suo travestimento femminile, quando ubriaco si rende conto della sua vita priva di senso, eppure molti cultori del cinema lo ricordano in quel film solo per il gesto dell'ombrello al grido beffardo di «Lavoratoorii!».

Alberto e Andreina lavorarono insieme nel 1957. Lui aveva trentasette anni e lei cinquantuno. L'occasione fu il film *Arrivano i dollari!* Alberto, diretto da Mario Costa, indossava i panni di Alfonso Pasti, cinico e baro, così cattivo da mettere il collare come a un cane maltrattato al suo domestico. «Rosica *le cocce* delle noci!» gli intimava per farlo mangiare, e lei, Andreina, doppiava Isa Miranda, la zia Caterina che controllava il finto nobile interpretato da Alberto. Dopo un anno, nel 1958, con la classe dell'artista che supera le eventuali coincidenze sgradevoli della vita, Andreina diede voce a un personaggio del film di coproduzione italo-spagnola *Il marito*, di Nanni Loy e Gianni Puccini. Si trattava di una ricca vedova, interpretata da Julia Caba Alba, circuita per interesse nonostante avesse molti anni in più, dall'impresario edile Alberto per salvarsi dal fallimento. Nel 1961, ebbero l'occasione di partecipare entrambi a *Il giudizio universale*, con la regia di De Sica e la sceneggiatura di Zavattini, in cui Alberto era un personaggio orrendo, un venditore di bambini, difficile da interpretare per il disgusto che suscitava. Andreina si ritagliava il ruolo di un'ospite della famiglia di Silvana Mangano, i Matteoni. Una sorta di rivincita con in premio un pubblico vasto come quella che si era presa nel 1958, con *Domenica è sempre Domenica*, di Camillo Mastrocinque: era un'occasione per apparire sul grande schermo e non di calcare il palcoscenico o lavorare soltanto per la televisione o nelle buie salette di doppiaggio.

Proprio una saletta di doppiaggio fu il luogo in cui si consumò una scenata degna di una diva par suo nei confronti di

Alberto. Erano trascorsi cinque anni di tempestosa e ardente relazione, ma Albertone da impenitente seduttore aveva tentato di nascondere una sua scappatella all'amata Andreina. Come al solito, il diavolo fa le pentole ma non i coperchi, e non ci riuscì neanche nel caso del doppiaggio di *Ombre malesi*, di William Wyler, distribuito in Italia nel 1947. Andreina, a cui un uccellino si era premurato di raccontare la mascalzonata di Alberto, prestava ancora una volta la voce a Bette Davis dopo *Il Conte di Essex*, in cui era un'imperiosa regina Elisabetta che sacrifica il suo grande amore per il più giovane Errol Flynn condannandolo alla decapitazione. Alberto era stato chiamato per doppiare in *Ombre malesi* un attore quasi sconosciuto, Bruce Lester, che impersonava il procuratore distrettuale John Withers. Non è difficile immaginare con quanta chiarezza e veemenza Andreina per vendicarsi imponesse al direttore del doppiaggio di scegliere: «O lui o me!». Se non avesse cacciato Sordi, lei non avrebbe dato la voce al personaggio della perfida Leslie Crosbie, interpretata da Bette Davis, la moglie di un proprietario di una piantagione malese, assassina, almeno in apparenza, per legittima difesa. Di fronte alla scatenata Andreina in preda alla gelosia, rabbiosa e straziata per il tradimento, Alberto non esitò a credere che sarebbe stata capace di picchiarlo, se non di ucciderlo come Bette Davis, e con la coda tra le gambe accettò di andarsene dopo aver doppiato solo la prima parte del film.

In realtà pare che Andreina non fosse la più gelosa nella coppia, benché consapevole della concorrenza con le attricette giovani e ambiziose. Il più possessivo dei due era proprio Alberto, uno che a quell'età poteva avere tante occasioni più di lei, che quanto a corteggiatori, aveva gentiluomini in età, galanti e affezionati spettatori, ma un tantino noiosi e spesso già impegnati con matrimoni solidi che mai avrebbero infranto.

Le cronache non hanno riportato con la consueta solerzia come si è consumata la fine della relazione tra Andreina e Alberto. Forse è stato il lento spegnersi di quella che era stata un'impetuosa passione. Nel passato Alberto aveva superato il dolore grandissimo della morte del padre Pietro. Aveva pianto tutte le sue lacrime alla veglia funebre, che aveva voluto prolungare il più possibile, e poi al funerale. Non riusciva a calmare i singhiozzi. Gli inquilini di via de' Pettinari lo sentivano chiusi in casa e provavano un'immensa pietà per quel figlio che piangeva come un bambino. Quel dolore immenso lo aveva vaccinato, in un certo senso, e nel perdere Andreina gli sembrò di provare un lutto simile, ma a cui era preparato.

Alberto aveva imparato fin da ragazzino a sedurre anche con la sfrontatezza, per una battuta poteva giocarsi non diciamo la testa come Rugantino, ma la camicia, oppure, come la volpe che non raggiunge l'uva, a consolarsi senza perdersi d'animo. Dopo la fine della lunga unione con la Pagnani, Alberto volle apparire al pubblico come il playboy che lascia e non è lasciato. Gli fu attribuita così una battuta assai poco elegante, un vago: «Come potevo legarmi a una sola donna quando ne avevo talmente tante da selezionare? Sceglievo il meglio». Era vero, ma il catalogo di Don Giovanni, che cantava che *in Ispagna sono già mille e tre*, non poteva comprendere Andreina, perché avrebbe offeso il loro amore durato tanti anni, e il confronto delle sue avventure si sarebbe scontrato con il ricordo degli anni di passione che furono intensi e meravigliosi. Ma anche dolorosi, come lo era stato sempre l'addio ogni volta che Andreina partiva in tournée, con lo spettro di una lontananza che avrebbe potuto generare facili tradimenti creati dalla noia, dalla solitudine sentimentale, dalla stanchezza, magari in cerca di un abbraccio precario in grado di anestetizzare per una notte la ferita del distacco.

6

Il trampolino della Radio

Alberto amava scherzare. Quella vena di sadismo che circolava nei ritratti dell'italiano medio era nel suo Dna e non risparmiava nessuno. Neanche i ragazzetti come poteva essere il Carlo Verdone poco più che decenne, che il padre portava con sé a Venezia nel grande bailamme del Festival. Alla fine degli anni Cinquanta e l'inizio dei Sessanta, il critico cinematografico e accademico Mario Verdone era uno dei selezionatori dei film internazionali della Mostra del Cinema, una grande responsabilità riposta su una grande competenza. Carlo era fiero di un padre così importante e assisteva frastornato all'arrivo delle dive, donne con la D maiuscola che a lui apparivano tutte bellissime, elegantissime, formosissime, come la maggiorata Sophia Loren, e degli attori celebri tipo Vittorio De Sica e Alberto Sordi. Impressa nella memoria di quei giorni frenetici ed entusiasmanti della scoperta del Festival, Carlo sentiva ancora la vergogna di quando, superata la lunga fila di ammiratori in attesa dell'autografo, finalmente aveva avvicinato Sordi che l'aveva preso in giro: «Che sei russo?... Che vieni, dalla Russia?... *Che ce fai qui*, a Venezia? Rivattene a Mosca!». Per l'ignaro Carletto essere russi era un'offesa, e così da quel giorno si mise in testa che i russi dovevano essere tipi strani "con la faccia di fregnoni". Se non avesse avuto quel senso cinico del divertimento, del resto, Alberto non avrebbe mai potuto prendere in giro i carcerati e una figura come quella della nonna, amatissima dal popolo italiano. Con *Nonnetta* firmò una canzone di rottura della tradizione melodica: la vecchietta paralitica con la testina bianca che Alberto invitava *a ritmar come vorrai* era poco consona alle figure materne tradizionali, e le colombe, colanti melassa melodica che imperavano a Sanremo. Dalla fine degli anni Quaranta alla stagione 1951-1952, Alberto così era diventato un personaggio radiofonico, protagonista con le sue canzoncine surreali dei programmi di varietà *Oplà* e *Rosso e Nero*. I suoi compagni erano Rascel, la Signorina Snob Franca Valeri, Caprioli, Claudio Villa e Nilla Pizzi. A presentare *Rosso e Nero*, era Corrado Mantoni, coautore del programma con il fratello Riccardo, regista. A dirigere canzoni e motivetti, erano all'opera pezzi da novanta della musica italiana, i maestri Pippo Barzizza, Enzo Ceragioli, Riz Ortolani, Lelio Luttazzi e Armando Trovajoli.

Gli italiani ascoltavano la radio per informarsi e divertirsi. All'ora di cena lo stacchetto gorgheggiato dell'usignolo scandiva le pause prima dell'orario delle venti che precedeva il *Giornale Radio*, trasmesso in contemporanea da tutte le stazioni. Mentre il rito della cena accomunava milioni di famiglie, si aspettavano le notizie della sera magari seduti al tavolo apparecchiato della cucina, dove al calore dei fornelli il profumo delle pietanze invogliava l'appetito. Al pomeriggio, una voce armoniosa raccontava le favole intercalata da brevi arpeggi musicali ed era un momento meraviglioso che accendeva la fantasia dei bambini, facendo sognare principesse, draghi e orchi, come oggi, a distanza di settant'anni i piccoli guardano in tv *Peppa Pig* e gli altri cartoni animati.

Accanto agli apparecchi di lucido legno della "Voce del Padrone", quelli con il marchio del cane seduto davanti al grammofono, il giovedì gli ascoltatori giravano la manopola finché, superati fischi e scoppiettamenti vari delle stazioni delle onde corte, finalmente si sintonizzavano sul varietà trasmesso dallo studio di via Asiago a Roma.

Alberto a partire dal 1946 aveva portato in radio il *Signor Dice* in cui già dissacrava l'italiano medio come avrebbe fatto nei suoi film di maggior successo. In ogni personaggio, infatti, a partire da quei lontani radiofonici, c'era il seme che sarebbe germogliato sempre più corposo, crescendo, diramandosi in una catena che si arricchiva nel tempo di sottospecie fino a sostanziarsi con connotati apparentemente diversi. A creare il testo del *Signor Dice* era un altro talento romano, l'attore Fiorenzo Fiorentini che possedeva di suo un'invincibile balbuzie. Era nato come Alberto a Roma nel 1920, il 10 aprile, e quindi era più vecchio di due mesi, e vale ricordare che morì nello stesso anno di Alberto, il 2003, il 27 marzo, un mese circa dopo di lui, una coincidenza di date che racconta anche un destino di somiglianze caratteriali. Fiorentini aveva iniziato i primi passi come autore radiofonico collaborando per i testi di *Arcobaleno* con Arnoldo Foà e Guido Notari, ma i primi pezzi comici li scrisse per Alberto Sordi. Perfettamente coetanei, dunque, nelle vene di entrambi scorreva il sangue della Roma popolaresca, che Alberto in una citazione di Goffredo Fofi, descrisse una volta così: «Il romano non ha un dialetto; parla male perché è indolente e non ce la fa. Non si applica, a meno che non ami una cosa e non ci creda veramente, come me ad esempio, che l'applicazione, lo studio, li ho sempre avuti in antipatia, li ho rifiutati e sono un istintivo a cui fortunatamente è andata bene». E aggiungeva: «Ma se avessi dovuto arrivare al successo applicandomi, sforzandomi, sacrificandomi, probabilmente lo avrei rifiutato optando per qualche altra cosa».

L'icastico epitaffio finale spiegava tautologicamente la sua filosofia: «E questo proprio perché sono romano e sento di essere romano».

Con il *Signor Dice*, il bagnino di salvataggio, Alberto suscitava tante risate, anche se la prima volta che glielo proposero, lui non voleva impersonarlo, raccontò Fiorenzo, perché forse non lo aveva capito in pieno, tanto che Riccardo Mantoni, il regista della trasmissione, dovette imporsi per farglielo interpretare. Poi, siccome quando accettava una cosa, era estremamente professionale, diede una tale interpretazione del *Signor Dice* che fin dalla prima volta riscosse un enorme successo. Successo che in realtà non lo colse di sorpresa, perché come tutti gli attori di teatro aveva provato gag e battute davanti agli orchestrali, che essendo le persone più smagate, erano un vero termometro per un attore e di rado si aprivano in una risata.

Gli applausi del pubblico radiofonico lo consolavano del mancato successo planetario a cui aspirava, a spronarlo c'era la grande soddisfazione della rubrica con il suo nome *Vi parla Alberto Sordi*. Nel cinema aveva ancora parti piuttosto piccole, uno per tutti di quel periodo, il film *Il delitto di Giovanni Episcopo*, il cui protagonista era Aldo Fabrizi innamorato perdente di Yvonne Sanson, e lui, Alberto, era Doberti, uno dei gaudenti sfaccendati che la corteggiavano. Alberto Lattuada firmava la regia ed era il 1947, l'anno a cui si può far risalire il suo colpo di fulmine per una maggiorata sedicenne al suo esordio nei panni di una ballerina, gloriosa di forme e di bellezza, che si chiamava Silvana Mangano.

Alberto si ritrovò ad azzeccare i personaggi di Mario Pio e del Conte Claro, parodie della posta del cuore dei giornali femminili, su cui le donne italiane riversavano le loro pene in cerca di improbabili consigli, il cui tormentone verteva se dare o meno la prova d'amore, ovvero perdere finalmente la verginità. Delle macchiette radiofoniche, quella a cui era più affezionato era Mario Pio, che già con il nome storpiato al maschile faceva capire quanto bizzarri sarebbero stati i suoi consigli. «Avevo convinto Pugliese a farmelo fare, anche se prima era un po' titubante» raccontò. Mario Pio era il tipico giovane delle organizzazioni cattoliche, e faceva il consigliere per la radio, attraverso il telefono. E qui Alberto svela le caratteristiche del personaggio, quel seme che sarebbe cresciuto nei personaggi cinematografici della futura carriera. «Un po' sadico, presuntuoso, arrivista. Mi divertivo molto a farlo, perché era già una satira forte di certe trasmissioni che solo più tardi sarebbero state fatte.»

Era così efficace, Alberto, che nel 1949 gli fu riconosciuto un premio molto ambito, "La Maschera d'argento" come migliore attore radiofonico. La Fonit ci credette e gli fece incidere le canzoni scritte e cantate da lui, in primis *Nonnetta*, *Il Gatto*, *Il Carcerato*, il cui testo a rileggerlo si comprende quanto fosse impietoso, così lontano dal nostro politically correct.

Gioco al baseball
Sei un americano?

49

No, son Carceratto
Ritmo sincopatto
Ritmo ritmo
Faccio ué
Sì son Carceratto miei signori cosa c'è
Ritmo ritmo sol per me
Yes

Era anche il prodromo dell'avvento della figura dell'"americano" Nando Moriconi nel film *Un giorno in pretura*, come della complicità straordinaria che si sarebbe instaurata con l'autore della musica de *Il carcerato*, Piero Piccioni, futuro compositore delle colonne sonore di tanti film di Alberto. Del resto, nella sua fantasia giovanile il cult degli *Ammerigani de Kansas City* e di altra provenienza, gli si era formato non solo con i film hollywoodiani, ma anche a partire dal 1943, due anni prima che finisse la Seconda guerra mondiale, quando Alberto aveva ventitré anni e ascoltava, come tanti ragazzi e adulti sfiniti dalla fame e impauriti dai bombardamenti, la radio mobile della Quinta armata americana, che trasmetteva da due camion militari. A mandarla in onda dalle città liberate erano quindici persone dirette da Harry D. Fornari, un ebreo romano, e il cui controllo era affidato al PWB, lo Psychological Warfare Branch, e faceva propaganda e informazione seguendo passo passo l'avanzata alleata. Al microfono parlava Antonio Ghirelli, che sarebbe diventato capo ufficio stampa al Quirinale del presidente Pertini, e qualche anno più avanti, nel 1945, cambiato il nome in Radio Bologna, il giovanissimo Enzo Biagi vi avrebbe annunciato finalmente la cacciata dei nazisti.

Non pago dei successi radiofonici, Sordi continuava a lavorare anche nel varietà, quello "vero" sulle tavole polverose del palcoscenico, con un buon riscontro di pubblico, come quello che l'aveva applaudito al teatro Quattro Fontane di Roma, in cui interpretava lo sketch *Pensa a te e alla famiglia tua*.

E finalmente arrivò la grande occasione.

7

Mamma mia, che impressione!

Alberto aveva compiuto trent'anni, si sentiva pronto al grande salto, perché a quell'età ormai diventava vecchio e tutti i suoi sogni, le sue aspirazioni rischiavano di bruciarsi e disperdersi come cenere al vento se non fosse diventato al più presto un grande attore ricco e celebre in tutto il mondo. Eppure, quelle facce sul grande schermo dei divi hollywoodiani che doppiava non avevano niente più di lui. Nel buio della saletta di doppiaggio il regista gliele metteva davanti, senza spiegargli niente della psicologia del personaggio e lui dava voce a vari interpreti, compresi Robert Mitchum e Victor Mature, gli sciupafemmine americani dei western e dei polizieschi. Curioso, entrambi quegli attori avevano dato scandalo sulle pagine di *Confidential*, la rivista di pettegolezzi spinti che rovinava la reputazione di attori e attrici famosi raccontando le loro avventure di letto e di droga. Robert si era presentato a una festa in maschera travestito da hot dog, e cioè nudo spalmato di rosso ketchup a velare a malapena le vergogne, di cui Victor, invece, andava più che orgoglioso per via delle notevolissime dimensioni tanto da sbatterle sul tavolo delle riunioni davanti alle partner sbigottite.

Alberto godeva ancora del successo di Ollio, a cui aveva dato la geniale caratteristica dello stravagante accento americano, ma mordeva il freno e provava una grande rabbia, perché il doppiaggio gli dava, sì, un po' di soldi, ma lo faceva ritornare indietro nel tempo, quando prestava la voce al drago del teatrino dei burattini di Trastevere. Lo avrebbe confessato anni dopo, diventato finalmente il divo Sordi, ricordando l'umiliazione provata quando vestito con la divisa da Balilla imitava la vocina della fatina o del piccolo ladro. Non lo consolavano gli amici che si esaltavano con gli scherzi che riusciva a piazzare, Andreina gli stava vicino ma lui si sentiva una specie di mantenuto, data la celebrità di cui godeva la grande attrice romana. E pensare che l'aveva corteggiata, e poi sedotta, aspettandola fuori del teatro dove arrivava pedalando sulla sua scassata bicicletta. La fedeltà e l'ammirazione sconfinata di Alberto avevano scalfito l'iniziale diffidenza e solleticato il naturale narcisismo di una primadonna, che come tanti attori amava chi l'amava.

Alberto e Andreina avevano assistito al crollo del fascismo, alla fine della guerra e all'arrivo dei liberatori. Anni dopo, nel racconto colorito di Alberto, si susseguivano i flash dei ricordi. «*Ammerigani! Non c'è nessuno! Venite avanti Ammerigani!*» gridavano i ragazzi romani sbucando all'improvviso da un pezzo di marmo antico o da un angolo di un edificio davanti ai soldati yankee che temevano i cecchini tedeschi nascosti ancora nella capitale e strisciavano per le strade con le "frasche" in testa, ovvero mimetizzati come in battaglia. Del resto, Alberto non era mai andato in prima linea, e forse neanche in seconda, quando era stato richiamato all'ufficio di leva e i suoi ricordi di recluta si fermavano alle prestazioni di suonatore di mandolino. Dai quattordici ai diciassette anni era stato avanguardista, a ventuno nel 1941 si era trasferito con la famiglia a via de' Pettinari, e ricordava che doveva tornare in quella strada buia prima del coprifuoco. Solo una volta aveva fatto tardi e se la faceva sotto dalla paura che culminò con lo scontro improvviso con un uomo con la faccia nascosta da una calza nera. La rivoltella che gli puntava addosso non era meno rassicurante: «*Albè, che me li dai due sordi?*» gli chiese con la voce contraffatta. Era un poveraccio che lo conosceva e per mangiare affrontava il pericolo di infrangere il coprifuoco in cerca di pane e per questo si fece perdonare per lo spavento.

Alberto non poteva più aspettare. Il cinema neorealistico in quegli anni era fatto a basso costo e ad alto contributo di arte, come *Roma Città aperta*, di Roberto Rossellini, *Sciuscià*, di Vittorio De Sica. Gli attori erano presi dalla strada e sotto la direzione dei grandi registi si rivelavano efficaci come, se non più, dei professionisti. Alberto si sentiva fuori del giro, un "sorpassato". Come poteva aspirare a una grande occasione? Qual era l'appuntamento con il destino? La disperazione gli fece partorire l'unica soluzione possibile: se non lo cercavano, sarebbe stato lui stesso ad autoprodursi, a scritturarsi con una sceneggiatura partorita dalla sua creatività. Insomma, un film scritto, interpretato e prodotto da lui, sì, proprio lui, Alberto Sordi e come punto di riferimento avrebbe avuto il più grande, Vittorio De Sica, che gli aveva fatto i complimenti mentre doppiava *Ladri di biciclette.* Dopo parecchi anni, lo raccontò il regista in persona, descrivendo la scena: «Nella romana piazza Vittorio, un ragazzo sta dipingendo il telaio di una bicicletta. Una guardia sospetta che lui l'abbia rubata e glielo contesta. Il ragazzo gli risponde rabbioso: "Ma va', qui a piazza Vittorio c'è tutta gente onesta!". Mi ricordo che Sordi era straordinario per come pronunciava la battuta. Lo faceva in modo talmente veridico che mi colpì. Così vivo, con tale plasticità!».

L'impressione positiva la condivise pure Luigi Zampa, un altro dei nostri grandi registi, che conobbe Alberto quando doppiava *Anni difficili*. La battuta era breve e suonava pressappoco così «*A li mortacci*, i camion allora ce li avete!», ma Sordi la pronunciava con tale efficacia che Zampa capì che aveva un buon talento.

La carica rabbiosa, l'ambizione frustrata, il disappunto, Alberto li scaricava nell'interpretazione andando in *sync*, sincronizzandosi, con il labiale dei divi, ma la stima che suscitava nei registi e nei direttori di doppiaggio non gli bastavano più.

Memore dell'incontro e di altri sopravvenuti, e forte del successo radiofonico, Alberto propose a De Sica di produrre un film tratto da una sua idea che verteva sul personaggio del compagnuccio della parrocchia che intercalava le sue performance con un «Mamma mia, che impressione!», divenuto un tormentone per tutti gli italiani. Di soldi, però, non ne trovava, nessun produttore accettava di rischiare su Sordi e così lui decise che doveva fondare una Casa di produzione. Con Vittorio la chiamò PFC, Produzione Film Comici. Preso da una furia creativa, Alberto stese il soggetto e con il geniale Cesare Zavattini anche la sceneggiatura. Era il primo film da protagonista e la direzione fu affidata a Roberto Savarese. La ragazza Margherita di cui Alberto, un grosso scioccone dai capelli platino con la divisa del boy scout, s'innamorava, era la giovane Giovanna Pala, il bell'antagonista Arturo, un attore dal fascino sicuro come Carlo Giustini. Nel 1951 venne finalmente alla luce il film *Mamma mia, che impressione!* A sostenere in modo così evidente la regia di Savarese, fu Vittorio stesso che finì per dirigerlo. Il sogno, però, si era realizzato ma aveva messo Alberto davanti a un risultato che era tutt'altro che quello sperato. Il critico cinematografico Gian Luigi Rondi, di cui conservo un ricordo personale commosso, presidente dell'Accademia del Cinema italiano e dei David di Donatello, che ha collaborato con il Festival Internazionale del Cinema di Roma ed è scomparso nel 2016 alla gloriosa età di novantacinque anni, del primo film da protagonista di Sordi, l'8 aprile 1951 scrisse su *Il Tempo* la seguente critica: «Con questa melensaggeria, elemento principale della sua psicologia, il nostro giovanotto condisce ogni azione della sua giornata e il pubblico, nonostante alla fine rischi di stancarsi per l'insistenza di certi toni troppo facilmente farseschi, trova nei suoi gesti dinoccolati e nelle assurde peripezie liete ed immediate occasioni di riso. Il motivo più autentico del suo spasso va ricercato nell'interpretazione di Alberto Sordi...».

Comunque, dopo sette anni, il film aveva raggiunto un incasso accertato di 90 milioni e 278.852 lire, anche se all'inizio si era profilato come un fallimento. I compagnucci della parrocchietta, infatti, non portarono a Sordi la stessa fortuna radiofonica perché qualche anima pia, ed erano tante, nella satira del film con il ragazzone che racimolava i soldi per il parroco Don Isidoro, in cui si sentiva la zampata di Zavattini e De Sica simpatizzanti della sinistra, rinvenne il ritratto impietoso di un certo tipo di asservimento al diktat politico democristiano che andava per la maggiore. Il risultato fu il conseguente boicottaggio che rischiò di fare abortire tutte le future speranze di Alberto.

A frequentare e consolare Alberto era Federico Fellini, magro come un chiodo, che aveva svoltato quanto a nutrimento, fino a quel momento fatto soprattutto di latte e maritozzi, solo dopo aver conosciuto una ragazzina emiliana che sapeva cucinare bene le lasagne e si chiamava Giulietta Masina. Proprio in un ristorantino-latteria di via Frattina, frequentato dai collaboratori del giornale satirico *Marc'Aurelio*, che accettava il pagamento a rate, una sera Alberto si mise a guardare languido e seducente una signora sola piuttosto anzianotta. Una volta lusingata e convinta a farsi accompagnare, i due compagni di sperate merende, Alberto e Federico, la scortarono fuori del locale. Alberto vestito con un'eleganza da gagà, ovvero da generico cinematografico, descriveva in modo romantico ed esaltato le bellezze di Roma, le opere architettoniche che commuovevano il mondo. Poi, mentre la signora si abbandonava all'arte declamatoria di Alberto sperando in una liaison amorosa, lui si mise a ruttare e a imitare altri rumori, forte della sua esperienza al varieté milanese. Boati tremendi di cui Federico si vergognava: «Adesso basta, però» lo rimproverò, al che Alberto rispose: «Abbi pazienza» punteggiando do la frase con un rutto e un rumore dietro l'altro «è una malattia di cui mi sto curando», mentre la signora impallidiva fino allo svenimento e si affrettava a sparire.

Scherzi a parte, i due amici avrebbero riscattato la delusione di Alberto per *Mamma mia, che impressione!*, con due capolavori, *Lo Sceicco Bianco* e *I Vitelloni*.

8

Lavoratori, tiè!

Se qualcuno avesse dubitato della forza d'animo di un giovane comico sconfitto clamorosamente al botteghino, avversato dall'ala cattolica oltranzista, abbandonato dal pubblico affezionato della radio, si sarebbe ricreduto quando Alberto si trovò nella necessità di mettere una pezza alla voragine del flop di *Mamma mia, che impressione!* Non era soltanto una questione di scarsità di incassi, ma di quel *Escluso per tutti* applicato alla pellicola: come salvarsi dal marchio d'infamia della censura? Da un film che nessuno, minorenni e adulti compresi, avrebbe mai visto? Alberto non cedette allo sconforto e spinto dalla determinazione che gli aveva fatto superare la fame patita nella pensione milanese di via Agnello, riuscì a procurarsi un importante incontro, da cui sarebbero dipese la vita o la morte della sua carriera. Almeno lui la vedeva così. A riceverlo fu il direttore del Centro Cattolico Cinematografico e Alberto ricorse a tutta la sua capacità di persuasione per spiegare che *Mamma mia, che impressione!* era soltanto una satira ingenua del conformismo ipocrita che nuoceva all'anima dei credenti. L'anatema dell'*Escluso per tutti* fu trasformato in *Adatto per adulti*, una dizione che solleticava la curiosità morbosa di un certo pubblico. Così i danni furono tamponati e la PFC di Alberto e Vittorio De Sica poté arrivare allo scioglimento senza bancarotta.

Nel 1952 Alberto si mise nei panni dell'avvocato Adolfo nel film di Duilio Coletti *È arrivato l'accordatore* che doveva festeggiare con un pranzo il fidanzamento con la figlia dei neoricchi Narducci e finisce tradito dal disoccupato Nino Taranto, invitato dai futuri suoceri per scongiurare il numero fatale di tredici a tavola. Alberto doveva emergere a tutti i costi dal periodo di avvilimento in cui era precipitato, quando vedeva gli altri attori comici richiesti di continuo, mentre lui viveva un periodo di magra. Anzi, magrissima.

«Rimasi tanto tempo senza lavoro e soffrii moltissimo. Avevo fatto tanto per esplodere, avevo programmato tanto e invece non ero esploso un bel nulla.» Così si confessava sentendo ancora l'amaro in bocca di quel periodo. Interessante ripercorrere nelle sue stesse parole la sensazione di vuoto e di "abbandono" da parte del pubblico, dei colleghi, ma soprattutto dei produttori.

«Chi è che ti conforta quando soffri? A parte la famiglia, dico. Gli altri. E chi sono gli altri? Chi li conosce? Gli altri appena possono ti deridono. Gli altri sono sempre ESTRANEI.»

Sospesa per un attimo la prudenza diplomatica di chi ha bisogno di accattivarsi la simpatia del pubblico, ecco affacciarsi sostanziata icasticamente nella parola "estranei", la barriera che impediva ad Alberto di abbandonarsi alla fiducia e all'amore. Estranea l'avrebbe definita più avanti negli anni, la donna che un uomo prende in moglie e l'avrebbe ribadito nel provino per il *Casanova* di Fellini. Tutti pensavano che fosse un'espressione ironica, buffa, che suscitava il riso. Invece no, era ciò che Alberto pensava davvero seppur travestendolo da battuta comica. Gli "altri" erano possibili nemici e impossibili amici, donne comprese, buone per portarsele a letto e non a casa.

Alberto, per natura e per le esperienze subite, mano a mano aveva scelto di trincerarsi nella solitudine esistenziale, in cui facevano breccia solo la madre Maria, che perse con immenso dolore nel 1951, e poi il fratello e le sorelle Aurelia e Savina. O meglio, Alberto si era arroccato in una sorta di avarizia sentimentale, un solipsismo che gli permetteva di "risparmiare" il dolore delle delusioni. Di quella del portafogli, parleremo più avanti.

Non condivideva, non era empatico con gli altri esseri umani al di fuori della famiglia. Li studiava come l'entomologo fa con gli insetti, la sua lente d'ingrandimento era la sua straordinaria capacità di osservazione corredata dal dono di tradurla nella mimica e nel linguaggio del corpo.

Lui vedeva con gli occhi, ma anche con la pelle, con l'olfatto, con lo stomaco, i segreti, gli odori, i sapori... che costruivano l'alter ego da scolpire sullo schermo.

Totò era l'attore più amato di quegli anni e, nel 1951, Alberto prese parte al film *Totò e i re di Roma* di Steno, il padre dei registi Enrico e Carlo Vanzina, sicuro che il film sarebbe stato un successo di cassetta e quindi ne avrebbe tratto vantaggio per risalire la china, nonostante il suo personaggio fosse perfido, ignobile, orrendo. Di suo, Sordi ci mise il carico da undici mentre con crudeltà inaudita perseguitava all'esame per avere il posto di lavoro il povero Totò, archivista e padre di famiglia, senza licenza elementare. Un ruolo che avrebbe inquinato la carriera di qualsiasi altro attore per l'antipatia suscitata e solo il "paliatone", le botte finali con cui lo riempie Totò per punirlo dopo la bocciatura, permise al pubblico di perdonarlo. Da quel momento l'attività di Alberto ricominciò a muoversi: nel 1952 il caso fortunato volle che Federico Fellini si battesse perché la produzione, che era contraria, affidasse ad Alberto il ruolo dello Sceicco Bianco, eroe dei fotoromanzi alla *Grand Hotel*. A raccontarlo a Tatti Sanguineti nella trasmissione radiofonica *Fefè* fu proprio Federico che insieme con Peppino De Filippo spiegava, con molta verità e qualche inevitabile bugia, quanto Sordi avesse dovuto combattere all'inizio della carriera. Che poi inizio è una parola grossa, visto che nel 1952 Alberto aveva già trentadue anni e aveva cominciato la sua corsa in salita a sedici.

Aveva pensato in un primo tempo a "un bellone volgare, tipo Rossano Brazzi", rivelò Federico e a proporsi fu Sordi stesso, con gli occhi chiari che luccicavano di emozione: «*A Federì, e daje*, lo sai che lo farei bene» era quello che pressappoco gli ripeté per convincerlo.

Con Fernando Rivoli, il divo dei fotoromanzi conosciuto come lo Sceicco Bianco, Alberto doveva affrontare di nuovo un carattere infido, mediocre, pavido e lumacone, che sfruttava la sua piccola notorietà per portarsi a letto l'ingenua sposina Wanda in viaggio di nozze. A interpretarla era la fragile e delicata Brunella Bovo, freschissima moglie del semplciotto Leopoldo Trieste, superbo attore di grande sensibilità. Quale differenza decenni e decenni dopo la versione di *To Rome With Love*, il film meno riuscito di Woody Allen, in cui l'erede dello Sceicco Bianco era Antonio Albanese nel ruolo del divo del cinema Luca Salta e l'innamorata sposina la deliziosa ex Cesaroni Alessandra Mastronardi.

Alberto con gli occhi bistrati e il bianco costume imparaticcio che dondola sull'altalena era il simbolo della mediocrità di un certo piccolo mondo tutto fumo e niente sostanza e diverrà indimenticabile anche se il film non ebbe un riscontro positivo della critica e di cassetta. Al Festival di Cannes non lo accettarono addirittura e a quello di Venezia il film fu accolto con scarsi applausi e dilaniato dai critici cinematografici che lo bollarono come "freddo, confuso, frammentario", ovvero felliniano, l'aggettivo coniato dopo il successo universale della sua opera per descrivere il lavoro del genio riminese. A distribuire la pellicola era una piccola ditta e gli esercenti facevano molta fatica ad accettarla perché Sordi era considerato "sgradevole". Oggi sembra impossibile, eppure *Lo Sceicco Bianco* fu sequestrato dal procuratore fallimentare.

Un'altra botta terribile per il povero Alberto, che mordeva il ferro delle delusioni a trentadue denti.

Ancora più efficace sarà l'interpretazione ne *I Vitelloni*, con un personaggio drammatico chiamato con il suo stesso nome. Era uno dei cinque amici senza arte né parte che vivono in una Rimini invernale, priva del fascino solare che attira i villeggianti. A Carnevale, Alberto si traveste da donna in una festa in maschera e, più triste di un Pierrot lunare, con il rossetto sbavato e senza parrucca si accascia ubriaco mentre la sorella fugge con un uomo sposato lasciandolo nella vergogna insieme con la vecchia madre. La sceneggiatura era di Tullio Pinelli, Ennio Flaiano e lo stesso Federico, che ne fece la regia. Ai posteri passerà la scena del braccio ad ombrello che Alberto indirizza agli operai accompagnato dal grido di battaglia «Lavoratoriii... tiè!» e dovrà scappare dalla giusta vendetta dimostrando tutto il suo animo pavido.

Il mestiere gli venne incontro ancora una volta quando dovette fingere una cordiale indifferenza e coprire con una smorfia orgogliosa l'ennesima, cocente, delusione che provò quando il film fu proiettato privatamente ai giornalisti e ai colleghi attori in uno stabilimento di sviluppo e stampa. I sorrisini di malcelato compatimento, la ruga severa della fronte aggrottata dei critici rappresentavano un'accoglienza meno che tiepida e soltanto la fiducia enorme che Alberto riponeva nelle sue qualità e la stima per Federico gli impedirono di continuare a deprimersi. Cominciava a capire, però, che più i suoi personaggi erano sgradevoli, vigliacchi e superficiali, più colpiva l'immaginario collettivo. Il piccolo borghese vi riconosceva il collega che gli soffiava il posto, il seduttore da strapazzo che metteva in pericolo la fedeltà della moglie, l'ambizioso arrampicatore pronto a qualsiasi nefandezza pur di raggiungere i propri scopi. Il 1953 non finiva mai e Alberto prese parte anche a *Ci troviamo in galleria* di Mauro Bolognini, con Sophia Loren, la bellissima di cui l'anno dopo s'innamorava nei panni di Cesarino in *Due notti con Cleopatra* di Mario Mattoli. Come si usava a quel tempo, Sophia ventenne girò in topless la versione osé per il mercato estero, meravigliosa creatura pronta a diventare la diva universale che tutti conosciamo. Alberto non poteva lamentarsi, ma scalpitava: il successo, quello vero, concreto, rotondo, che inseguiva, ancora non l'aveva acciuffato e sembrava lontano come in un incubo.

Già, gli incubi: in quelle notti agitate sognava le urla delle comparse che inciampavano nelle buche e ardevano davvero come torce umane sul set di *Scipione l'Africano*.

Alberto si svegliava in un bagno di sudore e malediceva il cinema e i cinematografari, assassini di uomini e di sogni, che non capivano niente, meno che meno capivano un talento come il suo.

Eppure il destino gli stava preparando la più bella sorpresa con il ruolo di Nando Moriconi.

9

Un americano in salsa romana

Con una fede incrollabile, Alberto continuava a credere nelle sue qualità di autore oltre che di attore, ed era in attesa dell'occasione propizia dopo il flop di *Mamma mia, che impressione!,* che aveva sceneggiato con Zavattini. Negli anni Cinquanta i soldi da investire nel cinema non erano poi così tanti, anche se gli italiani volevano dimenticare le ristrettezze post-belliche sperando in un futuro migliore e frequentavano numerosi le sale cinematografiche. Coinvolti dalla grande illusione in bianco e nero, sognavano un lieto fine come i protagonisti che amavano, soffrivano e piangevano, ma uscivano vittoriosi dai drammi a tinte forti. Nel 1949 *Catene* era stato uno dei film di maggiore cassetta e a interpretarlo era Amedeo Nazzari, un beniamino del pubblico. Classe 1907, alto e prestante, con la caratteristica voce baritonale che conservava un certo accento della natia Cagliari, indossava i panni dell'eroe romantico di turno, soldato, ricco signore, pilota, giovane povero, ma sempre generoso e onesto. In *Catene* era il meccanico Guglielmo sposato a Rosa, la sensuale e mansueta attrice Yvonne Sanson di origine greca, la produzione era della Titanus, che nel 1943 aveva dovuto interrompere l'attività a causa dell'occupazione nazista di Roma e con il film *Catene,* vituperato dalla critica ma dagli incassi stellari, si sarebbe rifatta della lunga astinenza. Raffaello Matarazzo firmava la regia della storia strappalacrime di corna e di sangue, in cui Guglielmo credendo all'infedeltà di Rosa che invece era innocente, uccideva il rivale e scappava in America, finché lei, per salvarlo, si accusava di averlo tradito per farlo assolvere dal delitto d'onore. Un drammone che concentrava in un'ora e mezza le ambasce della serie tv de *Il Segreto*, la soap spagnola fenomeno che a distanza di più di sessant'anni ha stracciato ascolti pescando nello stesso bisogno del pubblico di sublimare le pulsioni della passione, della morte e del tradimento.

Altri registi amati dal pubblico, sebbene con un successo inferiore al botteghino di Matarazzo, erano Mario Mattoli, che aveva fondato gli spettacoli *Za-Bum*, e Stefano Vanzina, in arte Steno, uno dei registi più fertili del cinema degli anni Quaranta e Cinquanta. Al centenario della sua nascita, il 19 gennaio 1917, Enrico Vanzina definiva il padre Steno, che scomparve a settantuno anni nel 1988, un "intellettuale che non se la tirava" anche se aveva firmato la sceneggiatura di centocinquanta film e la regia di settantacinque. Tra questi, distribuito dalla Minerva Film, il cult *Un giorno in pretura*, dramma, farsa e commedia a episodi, che si pubblicizzava con le cosce della *chanteuse* Gloriana, ovvero Silvana Pampanini, la tonaca di Don Michele Mezzocchi, Walter Chiari, e le forme strepitose di Sophia Loren, Anna la ladra. Il film era tratto da un'idea di Lucio Fulci, di cui Steno aveva scritto la sceneggiatura con Alessandro Continenza e Luigi Viganotti. E con Alberto Sordi. Sì, Alberto, proprio lui, che in uno degli episodi affrontava la severità del pretore Salomone Lorusso, un indimenticabile Peppino De Filippo. Il reato? Dopo un bagno in una pozza di acqua stagnante, spariti i vestiti, aveva girato nudo per Roma ed era penetrato in una villa, dove una "nonnetta" alla sua vista invece di *ritmar* si prendeva quasi un infarto. La storia era ispirata ai bagni nella *marrana*, come la chiamavano i romani, che faceva Alberto da ragazzino quando andare al mare era un lusso e la felicità era nuotare nell'acqua ferma di uno stagno. A frequentarla era anche un atletico giovanotto, grondante olio e muscoli, che vi s'immergeva tutto nudo scacciando i ragazzini per paura che gli sporcassero l'acqua che già di suo pulita non lo era. «*Amerigano!*» lo interpellava il gruppetto dato che sembrava un attore di Hollywood per via del sigaro che si fumava e di un cappellaccio di paglia alla cowboy, e lui annuiva pieno di sussiego. Folgorato dal ricordo, Alberto immaginò che se fosse stato sorpreso in flagrante tutto nudo dai poliziotti, il giovanottone poteva essere processato in pretura per oltraggio al pudore e così propose a Steno per un episodio del film il personaggio di Nando Moriconi. L'idea l'aveva stesa in tre pagine e piacque al regista. Rimaneva da convincere il produttore della Documento Film. Con Stefano Vanzina ottenne un incontro, ma le speranze del giovane Alberto si dissolsero ancora una volta. Immaginiamo la scena: Sordi e Vanzina entrano nella grande stanza del produttore seduto alla scrivania di lucido rovere. I due si accomodano sicuri che la storiella l'avrebbe divertito e invece il produttore, tronfio e superbo, prima gli sventola davanti una pagina per volta, schioccando a ognuna un sonoro *No*. Al terzo che risuona definitivo come il rintocco di una campana a morte, gliele straccia sotto il naso.

Alberto se ne tornò mogio mogio a casa a via de' Pettinari. Una casa che gli sembrava vuota dopo la morte di mamma Maria, anche se c'erano Aurelia e Savina a coccolarlo. Le due sorelle facevano di tutto per evitare che ricadesse nella depressione seguita a quell'enorme dolore che l'aveva fatto prendere per pazzo dagli altri condomini, impietositi dai pianti e dalle grida di Alberto che dopo la morte del padre, che ancora non aveva superato, adesso aveva preteso di conservare in casa il corpo della mamma per più giorni, perché non si rassegnava a staccarsi da lei.

Trascorsa una settimana, Steno lo richiamò dandogli la notizia inaspettata: il produttore ci aveva ripensato e aveva deciso di girare l'episodio.

«Lo girai tutto nudo e quando fu terminato, il produttore ebbe di nuovo un ripensamento perché aveva paura che il mio episodio fosse pornografico e non comico» raccontò Alberto rivivendo quel tormento.

Invece il riscontro del pubblico fu molto positivo, perché il possibile scandalo con relativa censura, si stemperò nelle risate.

Sarà stato il successo di *Un giorno in pretura* o l'aiuto dal cielo di mamma Maria, come era propenso a credere Alberto, il miracolo si compì.

Era il 1953 e in due mesi e mezzo non si fece scappare nessuna delle proposte e girò undici film. Un record per il quale Alberto non dormì quasi, con turni di lavoro che avrebbero stroncato un toro, sostenendosi con litri di caffè e una forza d'animo disumana, nutrita dagli anni di attesa. Oltre al lavoro, non c'era niente altro, all'infuori delle inevitabili difficoltà che potevano nascere dai contratti, dagli aspetti legali, dalle trattative, tutte cose importanti che se gestite male potevano diventare boomerang. Tutti gli attori avevano un agente, o si servivano di un'agenzia. Alberto ne sentiva la necessità ma diffidava. Era chiaro che non poteva fare tutto da solo, scrivere, ideare, interpretare e anche salvarsi dai problemi legali ed economici. Chi erano quegli "estranei" che si sarebbero curati dei suoi interessi senza tradirli e approfittarsene? Alberto aveva bisogno di un agente che fosse anche un vero amico, una persona affidabile e onesta, qualcuno che sarebbe stato il suo alter ego e lo affiancasse permettendogli di lavorare in pace. Una persona rara e introvabile come l'Araba Fenice. Eppure ancora una volta mamma Maria lo illuminò: l'amico fidato c'era e si chiamava Gastone Bettanini, di sei anni più vecchio di lui.

Gastone, un nome che metteva allegria evocando la macchietta petroliniana, frequentava Alberto da anni, quando entrambi avevano lavorato nella rivista di Nanda Primavera. Anzi, era stato proprio lui, Gastone, a raccomandarlo a Guido Riccioli, il marito di Nanda che era anche il capocomico della compagnia. Non che Riccioli si fidasse tanto del giovanissimo Alberto, belloccio come un cherubino cresciuto, tanto ambizioso quanto acerbo nel repertorio, ma si fidò delle parole di Bettanini e lo assunse nelle fila della rivista. Da allora i due amici avevano continuato a frequentarsi, ma mentre Alberto con la radio aveva trovato un certo successo, Gastone restava al palo, perché non aveva né l'ambizione né il talento del collega. Continuava a condividerne la fiducia in un avvenire luminoso e riversava su Alberto i suoi sogni destinati a non avverarsi.

Gastone Bettanini era l'uomo giusto, rinunciò a inseguire una carriera personale e accettò la proposta di Alberto. Divenne l'agente che lo rappresentava in tutto e per tutto, che lo precedeva con i produttori, ma anche l'angelo custode, il salvifico che gli risolveva le grane dei contratti. E non solo. Anche le grane d'amore.

10

Ah, l'amore

La lunga e appassionata storia d'amore di Alberto e Andreina ormai era archiviata, immersa nel silenzio pudico di chi ci aveva creduto davvero. Entrambi non avevano voluto darvi risalto quando la passione li legava felicemente ed entrambi avevano evitato di dare fiato alle trombe della pubblicità quando si era spenta.

Non era facile, però, dimenticare, soprattutto se il lavoro, con un gioco crudele di specchi, ricordava di continuo ad Andreina la storia che aveva vissuto davvero. Realtà o finzione, se l'era chiesto, mentre doppiava *Viale del Tramonto*, anche se la fine del suo amore non era tragica come nel film che stava doppiando. Ma il dolore, sì, il senso della perdita della giovinezza e del fascino a caccia di un'illusione d'amore erano gli stessi, inutile nascondersi. Nella saletta insonorizzata, soltanto la lampada fissata sull'alto banco di legno illuminava di una luce fredda le pagine del copione. Anche il volto dei doppiatori era in ombra, così nessuno avrebbe potuto vedere le lacrime che le offuscavano la vista mentre scorrevano gli "anelli", le scene che avrebbe doppiato. Sullo schermo emergeva il primo piano di Gloria Swanson, con il trucco esagerato, le labbra nere, gli occhi bistrati, che la facevano più vecchia della sua vera età, cinquantuno anni, e più vecchia del personaggio della matura Norma Desmond, innamorata perdutamente del giovane William Holden. Triste parodia dell'ex bella donna, Norma era la ricca e patetica diva tramontata del cinema muto che nella villa gotica in disarmo, custodita da Erich von Stroheim, l'ex marito ridottosi a fare il maggiordomo pur di starle vicino, circuiva con una vita lussuosa e regali costosi lo sceneggiatore Joe Gillis, impersonato dal trentenne Holden. Lui preferiva fare il gigolò, il mantenuto, piuttosto che la fame a Hollywood. L'amore e la giovinezza, però, non si potevano comprare per sempre, e quando Joe la lasciava per la ragazza Nancy Olson, che impersonava l'anonima ventenne Betty Schaefer, Norma impazziva e lo ammazzava con tre colpi di pistola, lasciandolo morto a galleggiare nella megapiscina, simbolo del successo che a Hollywood pagano a suon di dollari. *Viale del Tramonto*, con la regia di Billy Wilder, era uscito negli Stati Uniti un anno prima, nel 1950, e aveva riscosso un grandissimo successo, facendo guadagnare la nomination all'Oscar come migliore attrice a Gloria Swanson, nome d'arte di Gloria Svensson, nata a Chicago nel 1899.

Gloria era stata davvero una diva del muto. Bella, altera, con un portamento da regina che la faceva più alta del suo metro e mezzo, possedeva un grande fascino, tanto da sposare nel 1925 lo spiantato marchese Henri de la Falaise de la Coudraye, appartenente all'antica aristocrazia francese e avo di Loulou de La Falaise, la musa folle e geniale di Yves Saint Laurent. Due anni dopo irrompeva nella vita di Gloria Joseph P. Kennedy, il padre del futuro presidente americano John, che la sedusse senza tante parole ma con l'impeto di una forte passione, tanto che nella sua autobiografia lo descriveva al primo incontro così impaziente sessualmente da sembrare "un cavallo selvaggio che vuole rompere la corda". Insieme fondarono una società di produzione, lui le regalò una Rolls-Royce e gioielli con diamanti enormi. Peccato, però, che quando finì la storia perché lui si era annoiato, l'acquisto della Rolls e dei gioielli se li ritrovò lei sul suo conto. *Sic transit "Gloria" mundi.*

Andreina Pagnani nel 1951, l'anno del doppiaggio di *Viale del Tramonto*, che fruttò, anche grazie alla sua meravigliosa voce, il Nastro d'Argento alla Swanson, aveva compiuto quarantacinque anni. Era una donna affascinante, nel pieno della maturità professionale, un nome celebre nel mondo dello spettacolo. Alberto aveva trent'un anni, due meno di William Holden. Bastava però questo ad Andreina per sentirsi vicina alla "vecchia" Norma affamata di amore giovane, definita da un critico una vampira seduttrice e assassina. A doppiare ancora una volta Gloria Swanson protagonista del film diretto da Steno del 1956 *Mio figlio Nerone* fu Lydia Simoneschi. Una fortuna, perché Nerone era Alberto, straniato e pazzo imperatore che nemmeno una fidanzata come Brigitte Bardot nel ruolo di Poppea riusciva a distogliere dall'idea di ammazzare la madre Agrippina. No, stare giorni e giorni al fianco di Alberto a doppiare a cinquant'anni la madre di Nerone-Alberto, che ne aveva appena compiuti trentasei, Andreina non se la sarebbe sentita nemmeno ricorrendo alla sua celebrata ironia e professionalità.

Per Alberto il 1953 era stato ricco di lavoro, anche troppo. Gli undici film interpretati uno dietro l'altro, e spesso l'uno insieme all'altro, l'avevano stremato. Persino lui, forte come un toro e pieno di entusiasmo nel vedere realizzati i suoi sogni, si sentiva stanco. Il dottore l'aveva rimproverato: «Caro

Sordi, se continua così, va al sanatorio». Alberto aveva fatto corna, aveva l'idiosincrasia del camice bianco dei medici, l'odore di disinfettante degli ospedali lo destabilizzava, tutto gli ricordava la morte dei genitori. Sotto il sorriso a trentadue denti, nascondeva la tendenza alla depressione, che a lui faceva l'effetto contrario, era dopamina che lo spingeva in avanti sempre di più, perché non avvertiva il limite.

Il pericolo era proprio quello, gli ripeteva il Grillo Parlante, alias Bettanini, di non conoscere il proprio limite. «*Albé*, non possiamo *tira'* come un asino, se no crepiamo. *Vamose a cura', ch'è er momento*» gli aveva ripetuto fino alla nausea, così per la prima volta in vita sua Alberto aveva deciso di riposarsi. L'aria buona che si respira al sanatorio, lui l'avrebbe goduta in un albergo di lusso in montagna. La scelta cadde sul Mozart Hotel a Bad Gastein in Austria. Nel cuore del Parco nazionale degli Alti Tauri, cercava la camera con vista con le lenzuola profumate, la cucina di un grande chef, cure e vezzeggiamenti degni delle sue sorelle Aurelia e Savina. E pazienza se costava, non tanto in lire quanto in pignoleria austriaca da sopportare, che spaccava il capello e metteva i clienti in riga come soldatini: lì avrebbe avuto tempo per farsi i massaggi, mangiare tranquillo e ricomporre la sua vita, soffermarsi sulle sue vere esigenze e capire l'ultimo passo da compiere per realizzare tutte le sue aspirazioni.

Maestria e sapienza come Totò, erano le virtù attoriali che voleva raggiungere, rifletteva Alberto quando la mattina spalancava la finestra del Mozart Hotel sui verdi boschi austriaci. Una vista che lo ricompensava del turbinio dell'ultimo anno di luci, voci, personaggi dalla psicologia diversa, copioni da scegliere, ciak infiniti, ore e ore di lavoro senza pausa, un turno via l'altro. Non era facile staccare per un iperattivo come lui, anzi, il silenzio all'inizio lo rintronava. Faticava ad addormentarsi, come se l'avvolgente inerzia fosse una nemica che lo soffocava con le sue spire.

Così Alberto trovò il modo di fare qualcosa. Eccome, forse quella vacanza era l'appuntamento con il destino. Forse sempre mamma Maria dal cielo gliel'aveva scodellata davanti quell'opportunità che aveva le forme, bellissime, e il volto grazioso di una ragazzina austriaca dal nome di Uta Franzmair. Quando gliel'avevano presentata con molto sussiego, in quanto era una delle due figlie del ricco proprietario di un albergo vicino al Mozart, lui le aveva fatto un saluto alla militare e un inchino alla playboy. Poi aveva continuato a farle la corte chiamandola per cognome, perché lo divertiva pronunziarlo alla *doicc, vero*. Lei rideva, con la bocca rossa che metteva in risalto lo splendore dei denti. Bella come un'attrice, ma pura come una ragazza di buona famiglia, scura di capelli come una mediterranea, gli occhi azzurri come un lago di montagna. L'ideale, insomma, per sognare di mettere su famiglia. Senza quasi accorgersene, Alberto se n'era innamorato. O almeno, l'attrazione e l'interesse che provava gli sembravano amore. Quanta differenza dalla passione per Andreina, ma si sa, erano diverse come il diavolo e l'acqua santa: una navigata, vedova, più grande di età, l'altra ingenua e fresca come una ragazza giovane doveva essere. Era nata nel settembre 1935, quindici anni dopo Alberto, era colta, poliglotta e montava a cavallo come una signora, altro che le pischelle trasteverine e le ballerinette di fila dei varietà scalcagnati che aveva frequentato per tanto tempo! Insomma, Alberto poteva esserne orgoglioso e tenersela vicina facendola recitare in qualche particina e così coltivare quel giovane amore. La raccomandò a Vittorio De Sica, che quando l'aveva conosciuta, si era complimentato con Alberto. «È quella giusta» gli aveva detto quando Uta era venuta a Roma per conoscere le sorelle di Alberto a via de' Pettinari. De Sica la fece debuttare con un piccolo ruolo nel film *Villa Borghese*. Era il dicembre del 1953, il film era a episodi e c'erano tanti beniamini dell'epoca, Anna Maria Ferrero, fidanzatina di Vittorio Gassman e sposa poi dell'aristocratico Jean Sorel, Giulia Rubini, Giovanna Ralli, Franca Valeri, Antonio Cifariello, Maurizio Arena. Uta si sentiva un po' un pesce fuor d'acqua, era contenta di essere entrata nel fantasmagorico mondo della celluloide, lei che era abituata alla routine della vita di Bad Gastein, ma aspirava a diventare la signora Sordi. Intanto i preparativi delle nozze erano mandati avanti dalla sua famiglia. Alberto riceveva dall'Austria le lettere con la descrizione della cerimonia, degli abiti e del corredo, con i dettagli della dote. Lui se n'era quasi dimenticato, preso di nuovo nell'ingranaggio della carriera. Nel frattempo Uta aveva ricevuto la proposta di *Una parigina a Roma*, in cui aveva il ruolo di Cicci e si faceva chiamare Uta Franz, a cui seguì *Allegro Squadrone*, in cui lavorava anche Alberto e finalmente la ragazza appariva nel cast con il cognome Franzmeyer, trasformazione di quello di famiglia Franzmair, che poi userà anche nel film di Sissi. Il destino stava apparecchiando alla coppia parecchie novità: da una parte l'impensabile successo al cinema di Uta e, dall'altra, la fine impietosa del fidanzamento. La prima avvenne con il ruolo della sorella di Sissi, l'imperatrice d'Austria, accanto all'indimenticabile Romy Schneider, in cui Uta Franz era la principessa Elena di Baviera. Fu un successo di cassetta talmente immenso che ancora oggi per parare il declino dell'Auditel è considerato una reliquia taumaturgica come *Pretty Woman* dalle reti televisive, riscuotendo un buon risultato. Era il 1958 e *Sissi, Il destino di un'imperatrice*, per la regia di Ernst Marischka, fu anche l'ultimo film che girò Uta. Alberto aveva capito che la vita a colpi di strudel non era adatta a lui e non sapeva come cavarsela per un certo senso di vergogna riguardo l'impegno che aveva preso con i Franzmair. Il coraggio in certi casi non era proprio una qualità preponderante di Alberto e così il Grillo Parlante si trasformò nel Santo salvatore. Fu Bettanini che con faccia di bronzo si presentò in quel di Bad Gastein ai genitori di Uta dicendo che il matrimonio non era più tra le priorità di Alberto. Per giustificarsi ai propri occhi, Alberto disse che le nozze in quel momento di forte espansione della carriera avrebbero potuto nuocergli, con tutte le responsabilità che comportavano. Insomma, Uta con i suoi begli occhi azzurri, la sua classe, la dote e tutto il resto, era tornata a essere l'ESTRANEA da non portarsi a casa.

11

L'*Amerigano* di Kansas City

Nel 1948 decisero di fondare una propria casa di produzione due uomini di straordinario fiuto, Carlo Ponti, un magentino colto di trentasei anni, e Dino De Laurentiis, figlio di un venditore di spaghetti di Torre Annunziata di ventinove. Erano giovani ma avevano il cinema nel sangue e il talento d'intercettare i gusti del pubblico. Spaziavano dall'alto al basso, con pellicole per palati facili e altri più sofisticati. Nel 1951 avevano prodotto con la Ponti-De Laurentiis *Guardie e ladri* di Steno e Monicelli, poi il primo film a colori italiano, *Totò a colori*, e avrebbero vinto due volte l'Oscar per il migliore film straniero con *La strada* del 1954 e *Le notti di Cabiria* del 1957, entrambi di Federico Fellini. Nel 1954 decisero di sfidare il botteghino con *Un americano a Roma* rischiando con lo spin-off, si direbbe oggi, dell'episodio dell'imputato per oltraggio al pudore interpretato da Sordi in *Un giorno in pretura*. Se il pubblico avesse riso con quella macchietta di Nando Moriconi, che tanto successo aveva riscosso l'anno prima nell'episodio di *Un giorno in pretura*, avrebbero vinto la lotteria ancora una volta. In realtà, Carlo Ponti doveva far dimenticare un errore madornale, che sotterrava la sua fama di talent scout e di produttore geniale: era lui che al montaggio avrebbe voluto tagliare l'episodio di Sordi in *Un giorno in pretura* perché lo considerava pletorico e cafonesco, era lui che aveva nel cuore solo l'attraente Walter Chiari, nei panni del prete Don

76

Michele Mezzocchi in un altro episodio del film. A salvare ancora una volta Alberto dall'incomprensione di chi ci metteva i soldi e aveva il pallino in mano, fu Steno che con tutta la sua capacità di persuasione convinse Ponti e De Laurentiis a non buttare via l'episodio di Nando Moriconi. Ma dell'influenza di Steno sui produttori e della sua amicizia con Alberto ne parleremo tra poco.

A trentaquattro anni Sordi ritornava ad essere l'*Amerigano*, che amava una fantomatica Kansas City e anche se ambiva a nutrirsi come uno yankee di marmellata, yogurt, mostarda, latte, tutta *robba sana*, sostanziosa, di fronte alla pasta non resisteva. Nasceva così la scena diventata un cult di tutti i tempi con lo stralunato bambinone innamorato dell'America che si avventa sulla pasta e tra un boccone e l'altro gigantesco, l'apostrofa: «*Maccarone*, m'hai provocato e io te distruggo adesso, *maccarone*! Io *me te magno*!».

A creare la sceneggiatura che si rivelerà una macchina perfetta di risate, erano in tanti, Steno, anche il regista del film, un giovanissimo Ettore Scola, Lucio Fulci, e lo stesso Sordi. Pescava nella passione americaneggiante degli italiani malati di provincialismo, innamorati di tutto ciò che proveniva da Oltreoceano, e s'ispirava ai successi di botteghino *L'asso nella manica*, di Billy Wilder, e *Fourteen Hours*, *La Quattordicesima ora*, di Henry Hathaway, in cui esordiva Grace Kelly. Nando attirava la folla dei curiosi e dei fotoreporter piazzandosi sul cornicione del Colosseo e minacciava di buttarsi giù se non lo aiutavano a raggiungere l'*Ameriga*. La fidanzatina era Maria Pia Casilio e la bellona di turno, la giovanissima Ursula Andress, che nella finzione era l'attrice Astrid Sjorstrom, dall'ovvio accento straniero. Ursula aveva appena diciotto anni, zigomi fotogenici, mascella volitiva e forme perfette racchiuse in una statura di un metro e sessantacinque, che l'avrebbero resa celebre con il bikini bianco della Bond Girl Honey Ryder. Una piccola notorietà Ursula se l'era già conquistata con le foto pubblicate su *Tempo* nella soffitta-atelier di via Margutta di Novella Parigini, l'artista estrosa che la presentava come l'ambigua musa della sua arte pittorica. Era Novella, che detestava i tabù sessuali e razzisti, ad alimentare con le sue stravaganze la nascente dolce vita romana. Non per niente avrebbe spopolato quando nella Barcaccia di Piazza di Spagna sarebbe stata sorpresa a fare il pediluvio con una modella e con il primo trans famoso a diventare donna, Giò Stajano, ispirando a Fellini il bagno di Anita Ekberg nella Fontana di Trevi.

"Arriva l'americano per liberarvi dalla noia" recitava la pubblicità del film *Un americano a Roma*, la propaganda batteva sullo slogan "Una provvista di comicità". Ed era vero. La gente rideva di Nando, delle sue fissazioni, ma anche di se stessa, per tutte le volte che era caduta nella malìa delle americanate. Alberto si era divertito sul set come si divertivano le maestranze che assistevano alle riprese. La scena della pasta l'aveva girata al primo ciak, raccontava, anche perché non ce l'avrebbe fatta a mangiarne due o tre piatti. Si era impegnato, però, anche con tutto il suo talento, aveva curato e collaborato alla sceneggiatura, inserendo gli sketch a lui più congeniali e la parlata romanesca ad hoc. Sapeva che se avesse azzeccato la sua interpretazione, la strada verso quell'assoluto successo a cui ambiva si sarebbe spianata finalmente e gli incubi di *Scipione l'Africano* non l'avrebbero più tormentato. Quando si svegliava madido di sudore con le urla delle comparse che ardevano come torce umane, era conscio di non potere sfuggire all'ansia e alla frustrazione che sapeva così bene dissimulare di giorno.

Nando Moriconi fu l'alter ego di Alberto che lo ripagava delle tante umiliazioni sofferte, che metteva in soffitta la gloriosa esistenza del doppiatore Odisor, l'anagramma del cognome Sordi, che a diciannove anni dava il vocione a Oliver Hardy, con l'accento storpiato del primo *amerigano* della sua vita di lavoro. O di quando i produttori non lo volevano scritturare e dicevano di lui che era "sgradevole" e il botteghino lo castigava. Per *I Vitelloni*, orribile ferita al suo amor proprio era stato l'affronto dell'ENIC, la società distributrice, che aveva messo come condizione per acquistarlo che il nome di Sordi fosse cancellato, tanta era la paura che disgustasse il pubblico.

Nando Moriconi era il premio alla sua tenacia e ai suoi sacrifici: l'amore e le eventuali nozze con la giovane austriaca.

Uta Franzmair ormai era un sogno finito. Dopo il successo di *Sissi*, Uta aveva deciso di ritirarsi, proprio quando era riuscita a dimostrare che oltre a essere una bellezza, aveva imparato un po' a recitare. Aveva creduto in Alberto e alle sue profferte amorose nella quiete dei boschi di Bad Gastein. La delusione le bruciava ancora quando ripensava a come era caduta nella trappola dell'attore: aveva creduto alle sue rassicurazioni amorose e alle promesse di portarla all'altare entro pochi mesi. Uta aveva accettato di lasciare l'Austria e di andare a Roma per entrare in un mondo totalmente estraneo alla sua cultura. Si era adattata alla lenta pigrizia romana, che sotto l'indifferenza di chi aveva visto scorrere una storia millenaria sotto i ponti del Tevere, poteva nascondere un im-

provviso furore iconoclasta, che la spiazzava. Quante volte
aveva cercato di accattivarsi la benevolenza di Aurelia e Savina nella casa borghese di via de' Pettinari, un piccolo regno
tirato a lucido in quella città chiassosa e disordinata. Inutilmente, perché le due donne continuavano a essere diffidenti,
a guardarla storto perché con il fratello ci andava a letto senza il suggello del sacramento, come se essere austriaca fosse
un marchio d'infamia che la rendeva così diversa dalle italiane. Perché Alberto se l'era andata a cercare all'estero? si do-
mandavano. E tutte le brave *pischelle* romane che fiorivano a
Trastevere, perché non gli piacevano? Uta lo capiva, bastava
guardarle le due sorelle, che credevano davvero a "donne e
buoi dei paesi tuoi", che una volta glielo avevano buttato in
faccia facendo finta di riderci sopra, ma non erano brave a
recitare come il fratello.

Alberto le aveva promesso che sarebbe diventata una stella e citava Dino De Laurentiis sposato con Silvana Mangano,
Carlo Ponti innamorato di Sophia Loren: anche loro sarebbero stati una coppia fortunata. Così il tempo era trascorso
in un attimo mentre sognava il corredo e la casa da arredare
con i mobili magnifici che piacevano ad Alberto e glieli mostrava quando la portava a cena dal suo amico antiquario
Vladimiro Apolloni in via de' Coronari. Anzi, gliel'aveva
confessato come un peccato mortale: a diciotto anni voleva
fare l'antiquario, ma Uta, che aveva cominciato a conoscerlo,
non ci aveva creduto del tutto. Ad Alberto piaceva confon-
dere le idee, fosse solo per scherzo.

La vita borghese, tranquilla e appagata nei sentimenti,
Uta non rinunciò a procurarsela. Si sposò la prima volta con
un attore austriaco ed ebbe una figlia che chiamò Romy, come la sua amica carissima Romy Schneider, e un maschio. E

poi, con un pasticcere, con cui avere una vita dolce e mai più una dolce vita.

Eppure Alberto ci aveva creduto nel suo amore per Uta, nonostante fosse consapevole dell'enorme differenza di lei con Andreina. Da una parte la ragazza austriaca così ingenua e tanto più giovane di lui, dall'altra l'attrice romana tanto più "vecchia" ed esperta. Nove anni era durato il suo legame con la Pagnani e i ricordi e la nostalgia certe volte l'assalivano, lasciandolo senza fiato. Ma quel senso di smarrimento durava poco, perché era un combattente, anche se un po' vigliacco di fronte ai rimpianti. Era uno che aveva paura dei tristi pensieri, perché era convinto che gli avrebbero diminuito la forza di andare avanti come un panzer.

C'era già passato a rimuginare sui suoi limiti. Era successo all'inizio della relazione con Andreina, aveva sempre pensato che il modo fortuito con cui l'aveva conosciuta fosse un segno del destino. Aveva diciassette anni quando nel 1937 aveva ottenuto una particina, o meglio una comparsata, nel film *Il feroce Saladino*, ispirato al successo della raccolta delle figurine della Perugina-Buitoni che avevano fatto impazzire gli italiani. Alberto era "l'uomo nascosto sotto il costume della pelle del leone" e gli attori importanti erano tanti, a cominciare dal protagonista Angelo Musco, nei panni del professor Pompeo Darly, ovvero il feroce Saladino, fino a Checco Durante. E, soprattutto, agli occhi di Alberto, la stella del film era la diciottenne Alida Valli, allieva del Centro Sperimentale di Cinematografia, che aveva la parte di Dora Florida, ovvero della bellissima Sulamita. Il nome vero della ragazza di Pola era Alida Maria Altenburger von Markenstein und Frauenberg, e ad affascinare Alberto non erano soltanto i suoi magici occhi verdi, ma anche l'evidente discendenza nobile, due aspetti che molti anni dopo avrebbe ritrovato riuniti soltanto in un'altra collega speciale, la principessa Soraya Esfandiary-Bakhtiari, ex moglie dell'imperatore di Persia. Alida Valli, esile, dalla carnagione bianchissima, prese il cuore del giovane Sordi, ma l'innamoramento si congelò così, senza le conseguenze sperate dal giovane romano.

Il regista de *Il feroce Saldino* era Mario Bonnard e Alberto con l'innata sfrontatezza e simpatia aveva sgomitato tanto da riuscire a ingraziarselo. Da una cosa nasce un'altra, così si era fatto notare dalla sorella di Bonnard ed era entrato nel suo giro di amicizie. Trascorsi pochi anni, una sera la donna gli aveva presentato Andreina Gentili in arte Pagnani, di cui era amica, anche se, come racconteremo più avanti, si narra che sia stata Andreina a presentarsi a Sordi per complimentarsi con lui dopo averlo visto recitare in una rivista. Alberto era sveglio, ambizioso e pieno di risorse, tutto sommato anche esperto di donne, dati i suoi trascorsi nel varietà, ma Andreina l'aveva affascinato al primo sguardo, lasciandolo tramortito come un ragazzino alle prime armi. *La Pagnani!* si diceva tra sé e sé, senza chiamarla per nome, perché solo così sostanziava tutto quello che l'attrice rappresentava, fama, successo, potere e, perché no, denaro. I sensi s'infiammavano all'idea di possederla, perché era il simbolo di tutto quello che lui voleva raggiungere nella vita. Lui allora era così giovane e conversare con i mostri sacri del teatro come Renato Simoni e Ruggero Ruggeri, che frequentavano la casa di Andreina, rappresentava un privilegio insperato. Si era sentito un guitto davanti a chi recitava Shakespeare, Čechov e Pirandello, ma di una cosa era sicuro, avrebbe sfondato. L'aveva sbandierato anche al collezionista d'arte serba, che una sera era ospite a cena da Andreina: «Farò gli spettacoli tutti da me, il testo lo scriverò io, e così farò la regia, i costumi e sarò io anche il protagonista!» aveva detto tutto d'un fiato. Quell'ometto l'aveva guardato sornione e l'aveva preso in giro come se fosse un cretinetto esaltato. «Come Shakespeare?» gli aveva chiesto tra le risate degli astanti e l'imbarazzo di Andreina. E lui, con la sua sfrontatezza da Rugantino, gli aveva risposto con una battuta: «No, più di Shakespeare!».

Da Shakespeare all'eroe della "marrana" Nando Moriconi, il salto era quasi doloroso. I fantasmi degli autori classici si agitavano nella mente di Alberto ma lui aveva una fiducia illimitata nel suo futuro e ad aiutarlo era Steno, un grande del cinema che a sua volta aveva fiducia in lui.

12

Quando Totò gli sputava addosso

Enrico Vanzina oltre a essere un affermato uomo di cinema di successo, regista, sceneggiatore, scrittore, commediografo, è stato, insieme al fratello di due anni più giovane Carlo, anche un figlio devoto. Del padre Stefano, in arte Steno, ha saputo cogliere infatti, meglio di chiunque altro, l'arte e la grandezza umana. Una grande folla di estimatori, amici e appassionati cinefili si è radunata a Roma all'opening della Mostra dedicata nel 2017 nel centenario della nascita a "Steno, l'arte di far ridere", con il sottotitolo "C'era una volta l'Italia di Steno. E c'è ancora", nella Galleria Nazionale d'Arte Moderna e Contemporanea. In una delle foto della collezione di famiglia c'è un giovane Alberto Sordi con il cappellone di Nando l'Americano che abbraccia i piccoli Enrico e Carlo, di poco più di cinque e tre anni, con l'affetto di uno zio.

I ricordi si affollano quando Enrico Vanzina nel suo ufficio di Monti Parioli mi racconta chi era l'uomo Alberto, oltre all'attore geniale stimato dal padre. In famiglia l'hanno frequentato per decenni, una volta al mese lui andava a cena a casa, ospite di Steno e della moglie Maria Teresa Nati, la bella mamma di Enrico e Carlo. Mano a mano che si snoda, la storia si arricchisce di fatti inediti che descrivono uno spaccato del cinema italiano a partire dagli anni Cinquanta.

«Papà aveva per Sordi una grandissima simpatia. Aveva scritto cose di teatro per Vittorio De Sica, con cui Alberto aveva fondato una società di produzione che sarebbe stata chiusa in breve tempo. Papà aveva il culto del compagnuccio della parrocchietta, di Mario Pio, della Signora Margherita invocata dal petulante protagonista delle macchiette radiofoniche inventate da Sordi. Era esilarato da lui e l'aveva scelto nell'unica pellicola che Alberto avrebbe girato con Totò, con cui mio padre fece una quindicina di film. Il titolo era *Totò e i re di Roma* del 1951 e Sordi non era ancora all'apice della fama. Mentre girava la scena a favore di Alberto, papà notò che Totò, che doveva stare in silenzio di spalle e fermo, prese invece a muoversi intorno ad Alberto che recitava imperterrito la sua parte come un fiume in piena. All'improvviso papà non voleva credere a quello che vedeva nella macchina da presa: Totò stava sputando sul collo di Sordi. Improvvisando, era un modo per riprendersi la scena. Totò, che era un grande artista, aveva capito subito che quel giovane attore era un genio e non voleva farsi rubare troppo a lungo l'inquadratura.

«A ispirare le sfaccettature del personaggio di Nando Moriconi prima in un *Un giorno in pretura* e poi in *Un americano a Roma* a Lucio Fulci, uno degli sceneggiatori, fu un capogruppo delle comparse che si faceva chiamare "Blecky (sic) Norton", che si vestiva e faceva le smorfie tipo l'Americano. A Ponti, Sordi uscito nudo dalla marrana faceva letteralmente schifo, mentre ovviamente era entusiasta di Sophia Loren che in un altro episodio faceva la ladra. Tra gli sceneggiatori, c'era anche un giovanissimo Ettore Scola che per darsi un'aria più matura girava sempre con il basco in testa. Papà realizzò poi *Piccola posta*, un piccolo capolavoro in cui Alberto era il finto barone Rodolfo Vanzino Castelfusano d'Arezzo e Franca Valeri, la signorina Cangiullo, in arte Lady Eva, e Peppino De Filippo, il vigile urbano Gigliotti. Il film era una presa in giro della posta del cuore delle lettrici. La critica apprezzò la regia di Steno, ma posso dire che Sordi era già grande. Poi sempre per la regia di Steno, venne anche *Mio figlio Nerone*, con Alberto rosso di pelo che fingeva di cantare stonato come un cagnaccio e un cast stellare, che comprendeva Vittorio De Sica, Brigitte Bardot e la celebre Gloria Swanson.»

Enrico riprende fiato ma una luce speciale si accende negli occhi al ricordo di un film le cui scene furono girate a New York.

«*Anastasia mio fratello ovvero il presunto capo dell'Anonima Assassini* del 1973, è stato il film che più m'è rimasto impresso anche per quello che abbiamo vissuto fuori del set. Era ispirato alla vera storia del mafioso Anastasia e di suo fratello, un prete calabrese semplice e buono, Don Salvatore, impersonato da Alberto Sordi, che era all'oscuro dell'attività criminale del fratello assassino Albert Anastasia. Fu l'unico film, prodotto da Hecht Lucari, di cui papà firmò la regia con il suo vero nome, Stefano Vanzina. Il soggetto drammatico era di Sergio Amidei, Alberto Bevilacqua e lo stesso Salvatore Anastasia. La sceneggiatura era di Alberto Sordi e Sergio Amidei. Richard Conte interpretava il mafioso Anastasia. Quando arrivammo a New York, Dino De Laurentiis ci disse se eravamo matti a venire a girare a Little Italy, proprio in bocca al lupo, dove anche le vetrine avevano gli occhi dei veri mafiosi. Una voce nella notte al telefono, con forte accento italoamericano, ci minacciò di morte per avere osato venire a provocare la mafia. Ci fece una paura da matti, ma poi l'autore si svelò, era quel mattacchione di Carlo Mazzarella, l'inviato della Rai a New York.

«Alberto era anche molto amico di Dino e Silvana Mangano, i cui figli a Natale gli regalarono un salvadanaio, un chiaro riferimento alla sua presunta avarizia e lui si offese.»

A questo punto, Vanzina mi dava l'occasione di chiedere quanto ci fosse di vero nella leggenda di un Sordi avarissimo.

Per Enrico, Alberto ne era al corrente e se ne doleva, perché non era avaro, ma generoso. Era dispettoso, però, perciò trovava il modo di depistare la gente come quella volta che gli fece una specie di racconto horror.

«Alberto aveva un cane di nome Domenica. Una mattina mi disse che era scoppiata. In che senso? Gli chiesi. Nel senso che Aurelia e Savina, le sorelle, la rimpinzavano talmente tanto da farla morire così, come una mongolfiera troppo gonfia. Era un modo per farmi capire che a casa Sordi, i soldi venivano anche sprecati, per esempio per il cibo di un cane.»

A confermare il perlomeno stravagante rapporto di Sordi con il denaro, soprattutto quello degli altri, fu l'episodio che Enrico non riuscì mai a dimenticare.

«Una sera a New York uscimmo per andare a festeggiare il Natale. Eravamo io, Sergio Amidei, Carlo Mazzarella e Sordi con un'amica, e andammo a sentire suonare jazz in un locale molto alla moda. Il conto, tra champagne e altro, era salatissimo e Alberto disse rivolto a me, che avevo poco più di vent'anni e pochi soldi, e a Mazzarella "Pensateci voi, domani sistemiamo". Raggranellammo tutto quello che avevamo addosso e poi, sotto la pioggia, non avendo più i soldi per il taxi, tornammo a piedi in albergo. Il giorno dopo sul set, guardai Sordi con intenzione, anche un po' scocciato, e lui sornione, mi fece segno che "dopo" ci avrebbe pensato. Un "dopo" che non ci fu mai.

«Tutto sommato, era un signore conservatore e benpensante» continua Enrico. «Una sera andammo al Continental Bath, un bagno turco frequentato a nostra insaputa dai gay. In fondo al locale c'era un tale, un ragazzo quasi nudo che ballava e tutti lo applaudivano. Quando vide Sordi, non riuscì a trattenersi e lo salutò sorpreso in perfetto italiano. Poi si sentì di giustificare la propria presenza lì con un: "Sono venuto qui con un amico mio". Al che Sordi molto paterno gli rispose: "Vieni qua che ti riporto a casa da mamma".

«Aveva un umorismo tutto suo. Per esempio, papà aveva lanciato Renato Pozzetto, che ai tempi d'oro era più famoso di Checco Zalone, ed era un Numero Uno del cinema italiano e i suoi film incassavano miliardi. Una sera a casa nostra, Renato volle conoscerlo e tutto emozionato gli strinse la mano. Alberto guardandolo negli occhi gli disse: "*Ahò*, e tu chi sei? Sei Cochi o Renato?" lasciandolo un po' amareggiato.

«Non usava la battuta per colpire, ma era più forte di lui. Si divertiva così.»

Tra i ricordi di Enrico Vanzina c'è anche la testimonianza della voglia di paternità di Alberto, di cui l'attore non parlava manifestamente per una sorta di pudore, perché detestava essere frainteso. Un figlio, lui, l'avrebbe voluto per trasfondergli amore, non per pubblicità o per il senso egoistico di tramandare nome e fortuna.

Dal viaggio a New York e dal soggiorno a Little Italy con Stefano Vanzina, torniamo indietro, verso gli anni Sessanta. Per Alberto si inaugurava il sodalizio con Rodolfo Sonego, l'uomo che l'avrebbe accompagnato per lungo, lunghissimo tempo, nel comporre il grande affresco della storia dell'italiano.

13

Sonego, l'uomo del destino

Dal fantasma di Shakespeare, evocato con ironia dal collezionista serbo, a Diego Fabbri il salto non era breve e per Sordi affrontare un'opera del grande drammaturgo e saggista fu un'occasione d'oro. Oltre a essere un autore prolifico, Fabbri era anche il cofondatore del Sindacato Nazionale Autori Drammatici insieme con Ugo Betti, Sem Benelli e Massimo Bontempelli, quest'ultimo conosciuto da Alberto quando frequentava anche lui, come il collezionista, casa Pagnani. Nato nel 1911 e scomparso nel 1980, Fabbri scriveva commedie che nelle pieghe del *divertissement* nascondevano un cinismo sulfureo. Era il caso dell'applauditissima *La bugiarda*, più volte messa in scena nonostante i problemi con la censura da Rossella Falk, prima nel ruolo della figlia svagata e manipolatrice e poi della madre ruffiana, e portata nel 1965 sullo schermo dal regista Luigi Comencini con Catherine Spaak. Protagonista è la giovane Isabella che con le sue menzogne inganna marito e amante costruendo un castello destinato a crollare, ma con la forza della sua fantasia malata, ricucirà il doppio rapporto convincendo entrambi gli uomini di essere l'unico amato. Una commedia "comica" che si faceva metafora di una società bigotta radicata nell'ambiguità e nel compromesso.

Per fortuna di Alberto, c'era anche un'altra commedia interessante, *Il seduttore*, in cui Fabbri componeva il ritratto più agro che compiacente di un uomo che non sa sottrarsi al tradimento, l'altra faccia al maschile della *Bugiarda*. Franco Cristaldi, noto alle cronache rosa oltre che come produttore di successo, anche per le sue lunghe storie d'amore con Claudia Cardinale e Zeudi Araya, era a capo della Vides, e aveva capito che Sordi era un cavallo vincente. Si era assicurato quindi la sua partecipazione a un film di prossima lavorazione, il cui soggetto non poteva che essere quello tratto da *Il seduttore* di cui aveva acquistato i diritti, sicuro che fosse garanzia di un buon esito di pubblico e di critica.

Aveva, però, altri due assi nella manica, pronti a collaborare alla realizzazione del film: il regista Franco Rossi e lo sceneggiatore Rodolfo Sonego.

Ovvero l'uomo del destino di Alberto Sordi.

Anche la storia personale di Sonego era degna della sceneggiatura di un film drammatico con venature noir e rocambolesche. Aveva un anno meno di Alberto, essendo nato a Cavarzano, un quartiere di Belluno, il 27 febbraio 1921. Cresciuto a pane e libri di scienza, come *L'origine delle specie* di Darwin, da ragazzo Rodolfo pensava di laurearsi in fisica o in un'altra materia scientifica e invece a Torino, dove si era trasferita la famiglia, s'iscrisse alle Belle Arti. Nel 1943, quando aveva ventidue anni e l'8 settembre aveva segnato la storia d'Italia con il proclama dell'armistizio con gli alleati angloamericani firmato da Badoglio ed entrato in vigore a Cassibile, Rodolfo tornò in Veneto per combattere da partigiano scegliendo un nome degno dei suoi studi d'arte, Benvenuto Cellini. Divenne capo della Brigata Fratelli Bandiera, complice di un gruppo di partigiani che operavano estorsioni e delitti, tra cui l'omicidio di un commerciante. Finito quel periodo intriso di violenza, Rodolfo si dedicò alla letteratura e da Venezia arrivò a Roma e pur mangiando un giorno sì e uno no, data la diffusa povertà di quegli anni postbellici, frequentava l'ambiente intellettuale romano in grande fermento. Suoi amici erano Federico Fellini, Sergio Amidei, gli artisti di via Margutta. Il primo film di cui scrisse la sceneggiatura fu nel 1954 *La spiaggia*, di Alberto Lattuada, ma uno dei più importanti sarebbe stato nel 1961 *Una vita difficile* di Dino Risi, interpretato da un Sordi di grande spessore, di cui torneremo a parlare, che verrà inserito nei 100 film da salvare, ovvero nell'elenco delle opere cinematografiche "che hanno cambiato la memoria collettiva del Paese tra il 1942 e il 1978". A capo del progetto dei magnifici 100 era stato Fabio Ferzetti, il critico de *Il Messaggero* che si era avvalso della collaborazione di altre eccellenze, con il sostegno del ministero dei Beni culturali.

Superate le ristrettezze economiche, Rodolfo allargò i confini della sua cultura facendo moltissimi viaggi. Visitò l'Australia, la Germania, e il diavolo e l'acqua santa, ovvero la Russia comunista e l'America della caccia alle streghe, lasciando alle opposte ideologie la scelta di chi fosse il diavolo.

Quando si trattò di affrontare *Il seduttore* prodotto da Cristaldi, Rodolfo Sonego era pronto a unire la sua eclettica esperienza al talento e all'ambizione di Alberto Sordi. In quel primo incontro, entrambi non potevano prevedere quanto prolifica sarebbe stata la loro stretta collaborazione. Insieme avrebbero descritto i difetti, i tic, i limiti patetici travestiti di arroganza di un certo italiano piccolo borghese, che staccandosi dal ceto più povero aspirava a entrare in quello vincente del *boom* economico. Compromessi, meschinerie, frustrazioni, ladrocini, frullati in un cocktail micidiale ricoperto dell'apparente bonomia romanesca e dell'indifferenza verso i valori dell'onestà, che non sembrano essere mai stati messi da parte attraverso i numerosi decenni che separano gli anni Sessanta dal primo ventennio del terzo millennio.

E "il seduttore", anno 1954, a cui Sonego e gli altri sceneggiatori sulla scia di Fabbri avevano dato non a caso il nome di Alberto, non era il ritratto di un tipico maschio italico aspirante latin lover? Nel film Sordi era un trentenne che tradiva la moglie Norma, Lea Padovani, con le due belle, Lia Amanda e Jacqueline Pierreux. L'incasso ripagò le speranze e le ambizioni: alla fine del 1959 aveva raggiunto la bella cifra di 314.074.618 di vecchie lire. Il critico Gian Luigi Rondi definì il film una satira di costume, in un clima che «sembrava quel vitellonismo provinciale messo di moda in cinema da Federico Fellini». E aggiungeva che «le allegrie e i lazzi le ricreava, ravvivava e sosteneva con un'interpretazione che era di certo tra le migliori di Alberto Sordi, finalmente raccolto in un personaggio costruito spesso anche dall'interno con spontaneità, calore, versatilità e non di rado con sapienza». Una laurea con lode, finalmente, per l'Alberto che nella finzione seduceva la 'bbona di turno, la passante, la collega. E la straniera, proprio come l'Alberto vero, che aveva sempre un gran successo con le predilette fanciulle forestiere.

14

Oh quante belle figlie, Madama Dorè

Oh quante belle figlie, Madama Dorè. Son belle e me le tengo, Scudiero del Re. Il Re ne domanda una, Madama Dorè... la vuole maritare, poteva essere la filastrocca infantile più azzeccata per descrivere le avventure sentimentali di Alberto, che finivano sempre in un buco nell'acqua. Anche se era un "re" dello spettacolo, non si sa se fosse lui a non decidersi mai per l'estranea da portarsi a casa, o se le giovani di turno, dopo un tira e molla che non approdava a niente, si stancavano e lo mandavano a quel paese.

Dopo due anni dall'uscita nelle sale del film *Il seduttore*, il 23 novembre 1956 al Teatro Sistina, tempio delle commedie musicali, si dava la prima della rivista "A prescindere". In platea, affollata di divi, da Gina Lollobrigida a Eleonora Rossi Drago, Anna Magnani, Peppino De Filippo e Franca Valeri, Alberto si dava da fare a omaggiare i colleghi più noti. Galante con la Rossi Drago, appariva rilassato e affabile e intanto catturava i flash dei reporter. Finalmente tornato al suo posto, era stato fotografato giulivo mentre applaudiva la passerella degli attori. Nessuno dei reporter, nemmeno quello dell'Istituto Luce, aveva notato la graziosa ragazza che gli sedeva casualmente accanto. Lei non era ancora un volto noto che poteva attrarre la stampa rosa dell'epoca, mentre il famoso era lui, l'Alberto non ancora nazionale. La ragazza si chiamava Ingeborg, il che prometteva bene, data la predilezione di Alberto per le straniere e soprattutto quelle di lingua tedesca come Uta Franz. Ingeborg Schöner, conosciuta anche con il nome di Inge Bella, era nata davvero in Germania nel 1935, a Wiesbaden, e quindi aveva quindici anni meno di Alberto. Intrapresa una breve carriera di modella, aveva debuttato giovanissima a teatro a Monaco di Baviera, dopo aver abbandonato a metà gli studi di Filologia. Colta, elegante, assai graziosa, dal profilo di cammeo, Ingeborg era arrivata a Roma e dopo qualche mese dalla prima di "A prescindere" avrebbe recitato in un film di Antonio Pietrangeli del 1957, *Souvenir d'Italie*. Guarda caso, nei panni di Sergio Battistini, c'era Alberto che faceva parte del gruppetto di seduttori che si mettevano alle calcagna di tre belle straniere e con loro attraversavano mezza Italia da cartolina turistica, dalla Riviera Ligure a Venezia, e poi Bologna, Firenze e Pisa, per finire, a Roma con tanto di Colosseo sullo sfondo.

Ingeborg era Hilde, una delle tre straniere, come poi sarebbe stata nei panni di Nathalie un anno dopo, nel 1958, accanto alla protagonista Marisa Allasio di *Venezia, la luna e tu*, per la regia di Dino Risi. Che Alberto fosse il gondoliere Bepi innamorato perso della bella Nina, alias Marisa, non aveva importanza, anche se nella finzione era un galletto sempre pronto a corteggiare le belle forestiere. L'amicizia affettuosa di Ingeborg e Alberto, che durava da più di due anni, tra un ciak e l'altro si sarebbe potuta rafforzare nella romantica città lagunare e trasformarsi, chissà, in un legame molto più stretto. Invece Ingeborg aveva capito che anche nella realtà Alberto avrebbe continuato a fare il seduttore con le altre belle ragazze che gli capitavano a tiro e con un gentile ma fermo e teutonico *auf Wiedersehen*, salutò Alberto per approdare a lidi più sicuri anche se meno romantici.

Nel 1959 conobbe il suo futuro marito, il regista Georg Marischka. Curioso davvero che in una sorta di corsi e ricorsi storici, Georg fosse il nipote di Ernst Marischka, il regista della trilogia di *Sissi* in cui aveva recitato la fidanzata austriaca di Alberto, Uta Franzmair. Ingeborg girò con Georg *I trafficanti di Singapore*, e se ne innamorò. Dal matrimonio nacquero due figlie, Nicole e Juliette, che seguirono le orme materne diventando attrici anche loro, mentre Ingeborg continuava nella sua carriera, prendendo parte a serie televisive di successo.

Alberto era inseguito dai giornalisti che volevano a tutti i costi estorcergli notizie sulla sua vita privata. Lui era ossessionato dalla riservatezza e ricorreva a tutti i trucchi per non cadere nella rete dei paparazzi quando metteva fuori il naso per andare magari in un ristorantino di Trastevere in dolce compagnia. L'altra faccia della medaglia era che, in realtà, con tutto il lavoro di cui felicemente si caricava, di tempo per coltivare una relazione seria gliene restava ben poco. Infatti Alberto si sentì in dovere di smentire il legame con una bruna ragazza romana, Luciana Vacchi, che ogni tanto veniva tirata in ballo da un articolo di cronaca rosa come sua possibile promessa sposa. Tanto per arricchire la love story, la signorina Vacchi veniva raccontata come una bellezza degna di una diva come Silvana Pampanini a cui veniva attribuita la somiglianza grazie ai fantomatici occhi verdi.

Per un certo periodo Alberto frequentò la giovane ereditiera Frances De Villers Brokaw e, se l'avesse sposata, sarebbe diventato cognato di Jane Fonda e "genero" del grande Henry. Sarebbe dunque entrato a far parte di una famiglia a dir poco allargata che legava una serie incredibile di personaggi molto celebri in complicatissimi intrecci. In anni in cui, in Italia, il concubinaggio e la parola divorzio erano banditi come segno di degrado morale. Il lettore dovrà usare molta pazienza nel districarsi nelle molteplici parentele che legavano Frances a varie celebrità. Della famiglia della presunta nuova fidanzata facevano infatti parte per ragioni diverse il regista franco-russo Roger Vadim, ma anche Brigitte Bardot che lui sposò prima appunto di Jane, la figlia di Henry Fonda, da cui ebbe Vanessa, e ancora Catherine Deneuve da cui Vadim ebbe Christian. Catherine divenne anche madre di Chiara, figlia di Marcello Mastroianni, il divo amatissimo il cui successo esplose negli stessi anni di quello di Alberto. Per non menzionare come facente parte degli amori della famiglia allargata anche Ernest Hemingway, amato e mai dimenticato da una delle mogli di Henry Fonda, l'italiana Afdera Franchetti.

Ma veniamo alla ragazza che era la sorellastra di Jane Fonda. Frances De Villers era un'alta e sportiva giovane donna, figlia delle prime nozze dell'infelice seconda moglie di Henry Fonda, Frances Seymour Brokaw, morta suicida, tormentata com'era da un'infanzia segnata dagli abusi paterni che l'avevano fatta ammalare della più nera depressione, e dalle cui nozze con Henry erano nati Jane e Peter, attore anche lui, i fratellastri di Frances. Non erano gli illustri natali a rendere appetibile come sposa la De Villers, venuta alla luce nel 1931 e quindi di undici anni più giovane di Alberto, bensì l'enorme ricchezza ereditata dal padre, che a sua volta in prime nozze aveva sposato la futura ambasciatrice americana a Roma Claire Boothe Luce. Sposare Frances avrebbe proiettato Alberto nel Gotha del divismo hollywoodiano, di riflesso del patrigno Henry Fonda da cui lei era stata cresciuta con pari affetto degli altri due figli biologici. Come non comprendere i dubbi di Alberto se avesse dovuto raccontare la girandola familiare di matrimoni, vedovanze e divorzi, della ricca fidanzata De Villers alle pie e mansuete sorelle trasteverine Aurelia e Savina, già scampate al pericolo di diventare cognate dell'austriaca Uta Franz.

Quella volta i giornalisti drizzarono le antenne: la relazione di Sordi con l'ereditiera Frances De Villers aveva squarciato il velo della solita discrezione con cui l'attore ammantava le sue avventure amorose. Le uscite con l'americana si fecero più frequenti fino a lasciare il segno nelle cronache mondane. E a infittire le previsioni sull'imminente resa dello scapolo d'oro del cinema. La pressione del lavoro e l'ambizione infinita di Alberto, però, si scontrarono ancora una volta con le esigenze di una donna innamorata e intenzionata a coronare con le nozze una relazione. Quindi, o moglie o *goodbye for ever*. E così Frances De Villers lasciò Alberto e se ne tornò negli Stati Uniti. Lui non ne fu molto dispiaciuto, a consolarlo c'erano i film da girare, i riconoscimenti alla sua bravura d'interprete, che ormai fioccavano sempre più numerosi, come i David di Donatello con cui era premiato al Teatro Greco di Taormina.

E un'infinità di donne da portarsi a letto.

15

Taormina e dintorni

Non ero ancora giornalista e le prime esperienze come conduttrice risalgono a cavallo tra gli anni Sessanta e gli anni Settanta nelle serate di gala riprese in diretta dalla Rai dei Premi David di Donatello a fianco dell'indimenticato giornalista cinematografico Lello Bersani. Il direttore artistico della manifestazione era il critico Gian Luigi Rondi, scomparso nel 2016, che l'aveva ideata a Roma e spostata poi a Taormina, nell'ambito della Rassegna Internazionale Cinematografica di Messina, d'intesa con l'Ente provinciale per il Turismo siciliano. Il presidente era Italo Gemini e la segretaria generale la contessa Elena Valenzano. Oggi presidente e direttore artistico della fondazione che gestisce i David è Piera Detassis. I premi erano le statuette che riproducevano il David e all'inizio, realizzate dal gioielliere Bulgari, erano d'oro massiccio il cui notevole valore attirava i divi che contribuivano così al lancio della manifestazione. L'evento si svolgeva nel Teatro Greco di Taormina, la località siciliana tornata alla ribalta con i G7 nel 2017, il primo con il 43° vertice dei Grandi della terra e il secondo il 15 novembre dedicato alla parità di genere con l'intervento dei ministri per le Pari opportunità dei vari Paesi e di Maria Elena Boschi, responsabile del Dipartimento delle Pari opportunità. A fare le spese della curiosità popolare in occasione del vertice dei Grandi del 26 e 27 maggio, sono state soprattutto la Première Dame Brigitte Macron e la First Lady Melania Trump, più fotografate di Gentiloni, Angela Merkel e Theresa May. Nell'occasione si è parlato del San Domenico e del Timeo, alberghi di illustre e longeva fama, la sede principale delle grandi manovre dei David di Donatello, dato che ospitavano in esclusiva le celebri star internazionali. La fama dei due alberghi della Perla dello Jonio è stata rinverdita nel 2017 dai lavori dei leader nel monastero domenicano del quindicesimo secolo trasformato in albergo e dall'ospitalità offerta dal Timeo con vista sulla Baia di Naxos al presidente degli Stati Uniti Donald Trump e al suo numerosissimo staff.

Proprio dal Timeo si accedeva più agevolmente attraverso un passaggio riservato al Teatro Greco. Quei pochi passi li percorrevo con il cuore in gola per salire dal retro sul palco. Con comprensibile emozione mi sarei trovata così davanti a 25mila persone stipate in un immenso abbraccio verticale sugli antichi gradini, con le telecamere sparate in faccia e alle prese con le interviste in inglese ai mostri sacri dello show business internazionale. Gli ospiti erano star come Elizabeth Taylor e Richard Burton, attori e registi celebri come Peter O'Toole, Warren Beatty, Roman Polanski, John Huston.

Presenze indimenticabili erano anche i grandi del cinema italiano, tra cui Vittorio Gassman, Nino Manfredi, Ugo Tognazzi e star affascinanti e bellissime come Claudia Cardinale. E Alberto Sordi. Non potrò mai dimenticare che cosa avvenne in diretta mentre Alberto salutava il pubblico presente e i milioni di telespettatori ringraziando del premio David di Donatello che gli era stato conferito nel 1969 per l'interpretazione de *Il medico della mutua*, un piccolo capolavoro della commedia all'italiana per la regia di Luigi Zampa. In una nicchia alla sinistra del teatro all'improvviso prese ad agitarsi un esibizionista che era arrivato fin lì sfuggendo ai controlli degli addetti ai lavori e della polizia. L'uomo cercava di attirare l'attenzione delle telecamere e aveva cominciato a spogliarsi suscitando l'ilarità del pubblico. Io potevo vederlo, ma non Sordi che era rivolto alla telecamera della Rai mentre il regista per evitare lo scandalo lo riprendeva stretto in primo piano. L'esibizionista si era già tolto i pantaloni e stava tirando giù le mutande quando fu bloccato e finalmente portato via dalla polizia e dai vigili del fuoco. Il movimento era stato notevole con il pubblico affascinato dalla sorprendente performance. Dal canto mio, con un sorriso ormai congelato, invecchiata di cento anni nonostante la mia giovane età, ero rimasta impavida accanto a Sordi come se niente fosse. Ma quella non fu l'unica emozione a Taormina. Nell'edizione del 1967 ci furono le parolacce e gli insulti di Richard Burton e Peter O'Toole, il diafano Lawrence d'Arabia che con il whiskey bevuto prima del gala con Burton aveva ripreso colore e vigore. Burton era premiato con Elizabeth Taylor per *La bisbetica domata* e O'Toole per *La notte dei generali*. Che cosa era successo? La scaletta dell'evento prevedeva un colpo di teatro sfruttando la presenza contemporanea degli attori internazionali e di Vittorio Gassman, premiato per *Il tigre*, interpreti prestigiosi del repertorio shakespeariano. Avrebbero sollazzato il palato raffinato del pubblico recitando qualche brano del grande autore. Con maestoso impegno i due, Burton e O'Toole, avevano iniziato a recitare con enfasi istrionica inquinata dall'alcol in lingua originale un dialogo tratto dal *Macbeth* e facevano pause artistiche molto lunghe tra una parola e l'altra. All'improvviso un'anima nera del pubblico approfittò del silenzio di una delle pause e levò una sonora pernacchia amplificata dalla perfetta acustica del Teatro Greco. I due si scambiarono un'occhiata e l'uno in gallese e l'altro in inglese con impeto altrettanto feroce rovesciarono improperi sul pubblico innocente. A salvare la situazione intervenne subito Vittorio Gassman che fece finta di niente e proseguì in italiano recitando un brano di Shakespeare, coperto dagli applausi. Al termine di quella serata, nonostante i pressanti inviti di alcuni degli ospiti d'onore di andare a cena con loro, mi ritiravo sfinita ma felice di potermi rilassare nella mia camera d'albergo in compagnia di mia madre Margherita che mi accompagnava e sosteneva. Ma questa, come si suole dire, è ancora un'altra storia.

Torniamo ad Alberto Sordi.

Se il Premio David di Donatello era l'equivalente dell'Oscar americano, Alberto Sordi, che nel 1954 è stato frenetico protagonista di dodici film, è stato l'attore che ha ricevuto maggiori riconoscimenti alla sua arte, un primato condiviso con Vittorio Gassman. Furono sette i David che vinse come migliore attore protagonista, a cominciare dal 1960 con *La grande guerra*, ex aequo con Gassman, per finire nel 1977 per *Un borghese piccolo piccolo*. Nel 1982, invece, con *Il Marchese del Grillo*, fu candidato come miglior attore ma il premio andò a Carlo Verdone per *Borotalco* e a Beppe Grillo – sì, proprio il fondatore del Movimento Cinque Stelle – che lo vinse anche come miglior attore esordiente per *Cercasi Gesù*, di Luigi Comencini, in cui il comico aveva come partner Maria Schneider. Peccato che l'Oscar che avrebbe meritato di sicuro, ad Alberto non fu mai attribuito perché i suoi film non erano adatti al mercato statunitense. E poi non aveva alle spalle un produttore forte come Carlo Ponti che aveva sostenuto con perspicacia e lungimiranza la carriera di Sophia Loren, la nostra più grande diva che si è meritato tutto il successo scalando un percorso in salita. Alberto non era equiparabile nemmeno a un'Anna Magnani che nel ruolo di Serafina Delle Rose in *La rosa tatuata*, tratto dal dramma di Tennessee Williams, aveva conquistato le platee americane e la statuetta dell'Oscar nel 1956 come migliore attrice protagonista. «Anna è una creatura incredibile» scriveva Tennessee Williams «metà femmina metà maschio. La sua anima è tutt'uno con il suo utero, materno e possessivo. Una volta che ti ha generato è pronta a fagocitarti. Di virile ha la cocciutaggine e la permalosità.» Di sicuro Alberto Sordi di virile aveva in comune con la Magnani la determinazione, che per gli osservatori esterni poteva trasformarsi in cocciutaggine. Permaloso forse lo era pure, stando alle interviste di Oriana Fallaci che ne riportava le parole con una fedeltà intinta nel curaro.

Oriana non l'aveva lasciato in pace a proposito dell'avarizia, l'etichetta che già sul finire degli anni Cinquanta gli era stata appiccicata addosso. Anche se non li sprecava, era pur vero che i soldi accumulati li investiva negli amatissimi pezzi d'antiquariato che confermavano il suo status di ricco. Quando si erano incontrati la prima volta alla Casina Valadier, perché, così insinuava la Fallaci, aveva finto di avere perso le chiavi della casa della Lungara di cui si vergognava, Sordi aveva ordinato una granita lasciando a lei la più modica consumazione di un caffè. «Chiariamo subito, Madame, che la granita la piglio perché mi piace: tirchio non sono. Io la conosco questa voce che circola.» E poi, ingrugnato come un ragazzino, aveva aggiunto che se voleva, poteva comprarsi il locale ma, *ça va sans dire*, in quel momento gli andava la granita e basta. Poi si era buttato a descrivere la casa nuova in cui stava per trasferirsi, la villona sul monte Ora di fronte a Caracalla, vantandosi che l'aveva comprata due anni prima a un prezzo "irrisorio" e che adesso valeva un miliardo. Non aveva aggiunto che l'aveva soffiata a Vittorio De Sica che non disponeva come lui della liquidità necessaria. Ultimo tocco megalomane, aveva aggiunto che da undici stanze aveva ricavato un salone. Ma il culmine lo raggiunse quando svelò all'apparentemente comprensiva intervistatrice, che per sfogarsi continuava a fumare in silenzio, le ragioni per cui non trovava una "moglietta". Se ricca, abituata a spendere, gli avrebbe dilapidato le sostanze, se povera, lo avrebbe costretto a mantenere anche la sua famiglia. Un disastro, insomma. «Poi c'ho le sorelle *che me cucinano*.» Modestamente. Quanto al maggiordomo, lui ne faceva volentieri a meno. Perché? «Se l'immagina la servitù? Io il maggiordomo non lo voglio. Piglia i soldi come un ministro, magari ruba o fa la spia agli agenti del fisco.» Alberto aveva trentotto anni, non avrebbe mai potuto immaginare, per fortuna sua, che dopo la morte di Aurelia a novantasette anni nel 2014, ci sarebbe stata la disputa in tribunale, e il maggiordomo-autista-tuttofare peruviano Arturo Artadi sarebbe stato indagato con altre due persone, il notaio Gabriele Sciumbata e l'avvocato Francesca Piccolella, per averla circonvenuta inducendola a firmare una procura in cui gli permetteva di disporre dei suoi ricchissimi beni ereditati dal fratello Alberto.

Oriana aveva descritto l'automobile con cui Sordi era arrivato alla Casina Valadier accompagnato dall'onnipresente segretario Gastone Bettanini, che poi non aveva preso nemmeno il caffè. Era una Fiat 1900 e non la splendida Mercedes

Benz color sabbia, che poteva raggiungere e superare niente-meno che i 180 chilometri orari, con cui qualche tempo pri-ma aveva posato orgoglioso davanti al fotografo sfoggiando un sorrisone e comunicando al popolo che era l'auto più co-stosa dopo la Rolls-Royce. Alla Fallaci aveva spiegato che la-sciava la Mercedes in garage perché "beveva" benzina. Le sorelle Aurelia e Savina non la guidavano perché, donne all'antica, non avevano la patente, e per spostarsi usavano il tranvai. Immaginiamo gli occhioni celesti di Sordi mentre de-scriveva la morigeratezza delle sorelle: gli saranno luccicati di commozione. Secondo Oriana, un sospetto lo pervase alla fi-ne dell'incontro: «Lei scrive tutto? *Nun so' mica così*. Lei mi rovina».

Per Alberto le donne, se aspiranti mogli o giornaliste, era meglio evitarle, tanto a *cucina'* e a *stira'* le camicie, per fortu-na, c'erano Aurelia e Savina.

16

Gli anni del *boom*

La fine degli anni Cinquanta per Alberto segnava la dirittura d'arrivo verso il successo così a lungo inseguito. Era in forma e quasi bello, ma di quel "quasi" non si lamentava, perché il suo aspetto, begli occhi chiari e un volto troppo rotondo, si adattava a qualsiasi ruolo che si era ritagliato indossando la maschera dell'uomo "normale", né brutto né bello, né giovane né vecchio, né fine né del tutto burino, arrampicatore, meschino, mammone, vigliacco, avido e cinico, in grado di essere amato da una moglie borghese, come una ricca e puntuta Franca Valeri, ma credibile anche accanto a una donna di estrazione popolana, tipo Giovanna Ralli. O Marisa Merlini, la moglie Amalia nel fortunato *Il vigile* di Luigi Zampa del 1960. Nella vita reale si godeva il sole e la celebrità al Lido di Venezia in costume da bagno, luccicante di olio che faceva esaltare l'abbronzatura condividendo il telo sulla sabbia accanto a Paolo Stoppa. Era il 1957 e un anno dopo Alberto si dava aria da intellettuale posando con una scultura di Alberto Viani alla Biennale veneziana. Serioso, faceva capoccella dall'oblò lasciato aperto nella bianca materia marmorea dallo scultore, il successo meritava un'immagine impegnata. Nella grande villa di via Druso, con la vista prestigiosa sulle rovine archeologiche di Caracalla, non faceva entrare nessuno, solo una volta aveva permesso a Oriana Fallaci una visita rapida. Quanto ai fotografi, neanche a parlarne: aveva il sacro terrore del fisco. Sordi aveva riempito la villa di pezzi pregiati, cassettoni, specchiere, antiche sculture lignee, porcellane di Sèvres. Era il suo regno e le sue ancelle regine erano Savina e Aurelia, le sorelle zitelle, che avevano sacrificato la loro vita privata per accudire e coccolare il fratello geniale. Solo dopo molti anni, nel 1967, aveva posato nel grande giardino con tre cani – il nero lupo, il bianco labrador e un basset hound –, per dimostrare che non era un solitario e taccagno Signore del castello, ma aveva sentimenti generosi persino verso gli animali, anche se il gossip insinuava che le tre creature pelose non fossero sue. Era un anno fortunato, segnato dal successo de *Le streghe*, in cui nel secondo episodio, *Senso civico*, Sordi recita accanto all'adorata Silvana Mangano. Gli sceneggiatori erano i gloriosi Age (Agenore Incrocci), Furio Scarpelli e Bernardino Zapponi. La polvere del bieco cinismo questa volta si era adagiata sulle candide forme della bella signora, era lei a caricare Alberto, il camionista ferito, per poter correre nel traffico. Sempre nel 1967 esce *Un italiano in America*, in cui lui è il benzinaio Giuseppe Marozzi che approda in America su richiesta del padre Vittorio De Sica che non vede da anni. Amore paterno che si sfalda, anzi annega in uno show televisivo dove Marozzi scopre che a fare apparentemente rinsavire il padre era la marea di debiti che sperava fosse saldata dal figlio. La sceneggiatura era di Alberto e di Rodolfo Sonego, autore del soggetto. Solo la bravura degli interpreti poteva far digerire una storia così dolorosa, purtroppo nemmeno così inusuale, ma lo stretto sodalizio con Rodolfo si era così rafforzato da creare opere importanti che riuscivano a essere credibili pur nella caustica esasperazione dei caratteri.

Facciamo un salto indietro e torniamo al 1954, l'anno in cui Alberto interpretò un numero esagerato di film, ben dodici, a cominciare da *L'Arte di arrangiarsi* di Luigi Zampa per finire con *Ci troviamo in galleria*, di Mauro Bolognini. *Il seduttore* era il sesto che affrontava e il primo con cui collabora con Rodolfo Sonego. Per comprendere l'arte di Sordi torniamo ancora una volta all'incontro tra i due e per capire la loro sintonia lasciamo che a descriverla siano proprio i protagonisti in prima persona.

Rodolfo raccontò che a volte lui e Alberto ricordavano persone e situazioni che entrambi conoscevano. Allora le rifacevano recitando insieme. E si divertivano molto. Secondo Sonego, la capacità di ricezione di Alberto era fuori del comune. Non aveva mai dimenticato la volta in cui gli aveva parlato di isterismo maschile. Lo voleva attribuire al personaggio de *Il vedovo*, del 1959, il ragioniere Nardi che alla notizia della morte dell'indigesta moglie Franca Valeri, sogna di rimettere a posto l'azienda con l'eredità. Quando scopre che la terribile *sciura* è sopravvissuta, progetta un piano criminale per eliminarla davvero. Il povero Nardi era anche semi impotente e che fosse affetto da isterismo maschile era scontato con gli affari che gli andavano male, l'azienda a rotoli e una moglie che si ostinava a non morire per fargli dispetto. Sonego temeva che essendo così lontano dal carattere di Alberto, avrebbe faticato a calarsi nella parte. Invece lui non soltanto la capì subito ma l'interpretò a caldo. «La sicurezza del suo istinto mi colpiva sempre» concludeva soddisfatto Rodolfo. Per Alberto, affermava convinto, la comunione con Sonego era straordinaria, e la loro intesa lo portava a vedere realizzata con le sue stesse parole un'idea che scopriva che anche Rodolfo aveva avuto poco prima. Come dire, due corpi e un'anima sola.

Il vissuto di Rodolfo Sonego, ex partigiano, di idee di sinistra, non poteva che generare una visione negativa di certi protagonisti della società tra gli anni Cinquanta e i Sessanta. Erano gli anni del *boom* economico nell'agricoltura e nell'industria in cui l'incremento dei profitti generava il circolo virtuoso della crescita. L'occhio critico si appuntava sul successo economico dei "pescecani", gli imprenditori privi di scrupoli che con la guerra e il mercato nero avevano accumulato enormi ricchezze, sui palazzinari che costruivano senza porsi il problema di salvaguardare i lavoratori e la salute pubblica. Con una società in bilico tra il vecchio e il nuovo, gli autori e i registi cinematografici diedero impulso alla cosiddetta commedia all'italiana, più agra che divertente. Altro che "escapista", cioè d'evasione, erano prodotti con una forte impronta politica, spesso di denuncia. Come abbiamo già detto prima, nel 1961, Dino Risi dirigeva Alberto Sordi in *Una vita difficile*, soggetto e sceneggiatura di Rodolfo Sonego, che sarebbe entrato nella lista dei 100 film da salvare. Il cast era all'altezza del protagonista e del soggetto: l'intensa Lea Massari, Lina Volonghi, Claudio Gora, Franco Fabrizi, Antonio Centa. Pur senza approfondire la trama, non si può negare che Sonego abbia trasferito i sogni e le sofferenze dei partigiani che lui conosceva bene, un'esperienza segnata dal coraggio di tanti e dalla viltà di altri, e anche i compromessi e le azioni brutali. Il protagonista, Silvio Magnozzi, nel 1944 si univa ai gruppi dei partigiani contro i nazifascisti. Veniva salvato da Elena Pavinato, la figlia della proprietaria dell'albergo dove si era rifugiato ed era stato scoperto da un tedesco che lo voleva fucilare. Era proprio Elena a uccidere il tedesco con un ferro da stiro e poi a offrirgli riparo in un mulino di proprietà della famiglia. Silvio cedeva alla viltà e non si univa più ai partigiani. Finita la guerra, diventa giornalista nel quotidiano comunista *Il lavoratore*, ma la vita non lo perdona. Per essere coerente, finisce in carcere e viene lasciato da Elena, poi si adegua e diventa segretario del capitalista Bracci impersonato dal *vilain* Claudio Gora, lo stesso che in precedenza aveva denunciato, ma quando il ricco e potente lo umilia spruzzandogli in faccia un sifone di seltz, in un rigurgito di dignità lo butta in piscina sotto lo sguardo orgoglioso della moglie che era tornata con lui. Il finale fa presagire che soldi e coerenza non andranno più a braccetto. Il personaggio è una metafora della società stessa, che ondeggia tra il male e il bene, tra l'onestà e il bieco compromesso della gente priva di scrupoli ed esorta a non abdicare ai propri ideali, a qualunque costo. Alberto ha impersonato Magnozzi in modo superbo. Negli ultimi anni della sua vita, alla domanda quale fosse il personaggio a cui era più affezionato, Alberto rispose che era il protagonista di *Una vita difficile*.

17

Dalla Magnani a Bongiorno

18 settembre 1955, Roma. Consegna del premio Maschere d'Argento, l'Oscar italiano per la rivista, la radio e la televisione. Nel decennale del premio fondato nel '45, il sindaco Rebecchini omaggia di speciali maschere d'oro le celebrità che si sono distinte nel corso degli anni ed ecco in una sola foto, radunati nell'immenso salone del Palazzo dei Ricevimenti e dei Congressi all'Eur, quattro grandi attori: Sordi, Totò, Rascel e Anna Magnani. Alberto ha trentacinque anni e sorride pieno di denti con gli occhi chiari che luccicano di soddisfazione come illuminati da un faro gigante. Si capisce che si sente finalmente arrivato perché appoggia la mano con confidente complicità sulla spalla del mitico Totò, cinquantasette anni, ripreso con la bocca socchiusa mentre canta un motivetto. Quella sera Totò indossa i panni eleganti del principe Antonio Griffo Focas Angelo Ducas Comneno Porfirogenito Gagliardi De Curtis di Bisanzio, un bel pacchetto di nomi che faticosamente e gloriosamente ha raccolto per prendersi una rivincita sulla sua carriera di comico, sui personaggi sfigati che fanno tanto ridere, gli affamati, i poveracci in cerca di casa e di moglie, partito come macchiettista e antagonista di Pulcinella, relegato da giovanissimo nel repertorio dei guitti morti di fame e riconosciuto solo più tardi come un genio dello spettacolo, drammaturgo e poeta, che mai noi italiani potremo celebrare quanto merita. Nella foto,

a cantare con Totò c'è Rascel, il nome d'arte di Renato Ranucci, che a quarantatré anni cavalca il successo di *Attanasio cavallo vanesio* e della commedia musicale *Alvaro piuttosto corsaro*, ma anche il brivido di essere stato appena diretto da Eduardo De Filippo in *Questi fantasmi* con il personaggio del marito cornuto e credulone, l'anima in pena di Pasquale Lojacono. Trascorreranno ancora due anni perché Rascel acquisisca fama internazionale con *Arrivederci Roma*, la canzone che ancora oggi, nel terzo millennio è cantata in giro per il mondo come *Volare*, quasi un inno alla nostalgia di una Roma Eterna, che vincerà sempre su Mafia Capitale e sulle beghe politiche dei suoi sindaci e sulle buche delle strade, eterne anche loro come l'ex *Caput mundi*.

A completare il quartetto delle star c'è un'Anna Magnani ripresa di profilo, che ha compiuto quarantasette anni. Sorride a mezza bocca, appoggiando sul pianoforte a coda che s'intravede appena il braccio giovane e tonico in contrasto con il volto vissuto quasi senza età della maschera di Nannarella. I capelli corti, indossa un abito lungo alla caviglia con la cintura dorata come i sandali, orecchini a cerchio, il rossetto squillante che attira l'attenzione a camuffare le celebri occhiaie scure, e non è stata mai così bella. Dal 1946 al '52, ha vinto sei Nastri d'Argento e tanti altri premi importanti, e in quel fatidico 1955 ha girato *La rosa tatuata*, tratto dal dramma di Tennessee Williams. Ancora non sa che l'anno seguente raggiungerà il punto più alto della sua carriera quando le sarà attribuito il Premio Oscar come migliore attrice protagonista. Nell'immagine Anna non si unisce all'allegria di Rascel, alla cortesia di Totò, all'entusiasmo di Alberto. Lo scatto ha catturato una sorta di malinconia che le attraversa il volto nella serata di festa. Nannarella non è mai stata felice nella vita privata, l'amore le si è sempre voltato contro, prima con la delusione del matrimonio con Goffredo Alessandrini, poi con il tradimento di Roberto Rossellini con Ingrid Bergman preceduto dall'abbandono imperdonabile di Massimo Serato quando era incinta del figlio Luca, nato nel 1942. Quel figlio, bellissimo e delicato, che nel 1955 ha già tredici anni e richiede tutto l'amore e la dedizione della madre che, per vendicarsi di Serato, gli ha dato il suo cognome, Magnani, ereditato a sua volta dalla madre nubile Marina che, solo dopo averla messa al mondo, era emigrata in Egitto dove aveva sposato un facoltoso austriaco.

Oltre alla melanconia, forse in Anna in quella serata c'è anche un certo imbarazzo. Pochi sanno che Alberto Sordi le era stato molto amico e molto vicino, nonostante l'attrice fosse così lontana dal suo ideale di donna, troppo libera, indipendente, strafottente, e mai avrebbe potuto rappresentare la "moglietta" sottomessa che lui cercava in ogni ragazza che incontrava. Stando alla sua confessione, Alberto conobbe Anna quando s'innamorò di Massimo Serato, di cui era molto amico. Tanto stretta la sua amicizia, che qualcuno aveva cominciato a mormorare che per Massimo Alberto provasse una passione non proprio virile. Niente di più sbagliato, perché nella filosofia sparagnina di Alberto, secondo cui nulla andava buttato, ma anzi, tutto andava sfruttato, la frequentazione con l'attore, bellissimo, atletico e famoso, rappresentava un utile investimento. Riportato dal saggista Goffredo Fofi, ecco come Alberto lo spiegava con parole sue: «Durante la guerra lo frequentavo molto, anzi ambivo frequentarlo perché oltre ad essere molto simpatico, Serato era un grande amatore, idolatrato da tutte le giovani donne del tempo. Era corteggiato da tutte le donne che incontrava. Co-

▲ Cenone di Capodanno al Teatro Nuovo di Milano nel 1945. Accanto ad Alberto, con i soldi in mano, Andreina Pagnani, l'unico grande amore di Alberto.

▼ Alberto Sordi con Anna Magnani ed Eleonora Rossi Drago al XVIII Festival del Cinema di Venezia nel 1958.

▲ Napoli, 1958.
Alberto Sordi è con
Silvana Mangano,
Vittorio Gassman e
Dino De Laurentiis
all'anteprima del film
La tempesta.

◄ Saint Vincent, 1958.
Sordi riceve la Grolla
d'Oro come miglior
attore per il film
Il marito dal collega
Vittorio Gassman.

▲ Anni Sessanta. Gina Lollobrigida e Alberto Sordi con il critico letterario Leone Piccioni e sua moglie.

▼ Vittorio De Sica e Alberto Sordi sul set del film *Il giudizio universale* girato nel 1961.

◀ Albertone con le amatissime sorelle Aurelia e Savina nel 1962.

▼ Milano, 1965. Sordi e la principessa Soraya al ricevimento dopo la prima del film girato insieme *I tre volti*.

▲ Anni Settanta. Alberto Sordi con Claudia Cardinale e le gemelle Kessler.

► Venezia, 1995.
Sordi sul traghetto
con alle spalle il
Ponte di Rialto.

▲ Venezia, Festival del Cinema 1995. Alberto e Monica, una delle coppie più affiatate del cinema italiano, ricevono insieme il Leone d'Oro alla carriera.

▼ Roma, 1999. Alberto Sordi e Sophia Loren sono i protagonisti della 49esima edizione del premio David di Donatello. Entrambi ricevono il David alla carriera.

▲ Venezia, 1995: Alberto con gli amici e colleghi Monica Vitti, Ennio Morricone e Giuseppe De Santis. Tutti insigniti del Leone d'Oro alla carriera.

▼ Alberto Sordi e Valeria Marini ospiti a *Porta a Porta* nel 2001.

▲ Anni Settanta. Alberto Sordi intervistato da Silvana Giacobini a Taormina.

▲ Anni Ottanta. Alberto Sordi intrattiene la giornalista a Milano.

▼ Salsomaggiore, 1999. Alberto Sordi, presidente della giuria di Miss Italia, saluta Silvana Giacobini giurata. Accanto, il pittore Rinaldo Geleng, membro della giuria tecnica.

sì, dato che non poteva godersele tutte, standogli vicino, restava un'ampia rosa di scelta! Che non era composta dai suoi scarti perché siccome lui era un "cecato", facilmente sceglieva la peggio».

Alberto poi spiegava le ragioni della freddezza che s'instaurò con Anna Magnani quando comprese che la relazione con lei si stava facendo molto più seria di quanto avesse immaginato.

«Anna era una donna gelosa e possessiva, scambiò la mia assiduità per una cattiva influenza su di lui e cominciò a dire: "Ma chissà dove ti porta quello, chi ti fa conoscere!".»

"Quello", ovvero Alberto, avrebbe portato a donne Serato (e non viceversa) facendogli dimenticare l'amore per lei. La riconciliazione non avvenne mai e durante l'evento al Palazzo dell'Eur, solo perché entrambi, Sordi e la Magnani, erano due buoni attori, finsero una "dimestichezza", come la chiamava lui, che non si sarebbe più ricomposta.

In quella serata trionfale delle Maschere d'Oro e d'Argento, conferite all'inizio agli attori più bravi della rivista, Alberto, che con la grisaglia d'ordinanza indossava delle improbabili, anzi orrende, scarpe bianche dimostrando che ancora non conosceva le regole del bon ton, con la memoria sarà andato a ritroso nel tempo, al 1943, segnato dalla storica data dell'8 settembre quando il capo del governo Pietro Badoglio aveva proclamato l'armistizio. Lui indossava una parrucchetta alla Geppetto e si esibiva a Roma accanto a Olga Villi in *Ritorna Za-Bum*, la rivista scritta da Marcello Marchesi con la regia di Mario Mattoli. Quei passi indietro della memoria lo confortavano, dandogli la prova provata, sì, la prova provata del suo successo. Altro che comparsa in una rivista a Milano, a sgambettare con le soubrettine con il "puntino", il copri slip ridottissimo come il copri capezzolo che facevano apparire sexy anche le "poveracce" con i rotolini di grasso. Altro che le scarpinate nella città del Nord per sentirsi sbattere la porta in faccia. Adesso era Alberto Sordi e poteva guadagnare le cifre che voleva e girare i film che gli piacevano. Eppure c'era sempre un tarlo che lo rodeva, l'ansia di perdere qualcosa, che so, un'occasione, una sicurezza non raggiunta così in contrasto con quella sensazione meravigliosa, che provava solo di quando in quando, di essere arrivato in cima. No, in effetti, la cima mai, quella non l'aveva raggiunta. Era ancora lunga la scalata, colma di sacrifici, perché la sua ambizione, ma anche la sua insicurezza di fondo, si placassero in un'ondata magnanima di beatitudine, di sensi soddisfatti.

Nel 1957, due anni dopo l'evento della consegna delle Maschere d'Oro, per non tralasciare nessuna delle sue possibilità artistiche, decise che doveva iscriversi come suonatore di mandolino alla SIAE, la Società Italiana degli Autori ed Editori. Era davvero bravo con questo strumento così italiano che suonava nella banda dell'esercito durante la Seconda guerra mondiale. Anzi, lui, quando lo raccontava agli amici, pochi, e agli estimatori, tanti, che si sganasciavano dalle risate, si divertiva a dire *"guera"* alla romana, felice della battuta che gli ricordava l'incontro con l'insegnante di dizione che l'aveva redarguito e a cui aveva risposto: «*Me se strigne 'a gola a dire guèrra*». I ricordi di una giovinezza mai goduta ma dedicata solo al lavoro si fermavano alla sua partecipazione alla banda musicale dell'81mo Reggimento Fanteria "Torino" quando con l'uniforme del Regio Esercito accompagnava i soldati in partenza per il fronte francese. Almeno la sua competenza gli aveva fruttato la qualifica di "Compositore melodista", perché non si sa mai nella vita, tutto può fare comodo, glielo aveva ripetuto tante volte mamma Maria, che non dimenticava mai di essere stata un'insegnante delle scuole elementari e che aveva tanto sofferto quando Alberto aveva abbandonato gli studi all'Istituto di Avviamento Commerciale, che ancora gli facevano schifo, mamma mia che impressione!, con tutti quei numeri e quelle regolette. E poi mamma Maria l'aveva convinto a prendersi il pezzo di carta. Perlomeno, un pezzettino, che consisteva nel diploma di ragioniere che aveva conseguito qualche anno dopo da privatista.

22 luglio 1972, consegna a Taormina dei Premi David di Donatello. Presentatore Mike Bongiorno. Tra le numerose foto di repertorio, c'è quella in cui posano con Alberto alcuni dei divi internazionali più importanti dell'epoca, Elizabeth Taylor e Richard Burton con Claudia Cardinale, quasi un trapasso emblematico dagli attori della commedia all'italiana dal sapore casereccio e provinciale, come lo stesso Alberto, Totò e Rascel, escludendo, ovvio, la Magnani Premio Oscar. L'immagine racconta il cambiamento nella vita e nella carriera di Alberto. Innanzitutto sono trascorsi diciassette anni dall'evento delle Maschere del 1955. Non è tanto l'età, cinquantadue anni, a renderlo più atticciato e composto, quanto una maturità che lo appesantisce perché è sul punto di trasformarsi in qualcosa che non può ancora definirsi vecchiaia. Nel 1969 avevo presentato a Taormina per la seconda volta Elizabeth Taylor, premiata per *La bisbetica domata* di Franco Zeffirelli ed era la terza che la diva tornava nella città siciliana con il marito Richard Burton. Ancora vivido è il ricordo di quando avevo conosciuto e intervistato la Taylor con il privilegio esclusivo di salire con lei nel suo appartamento

privato nel famoso albergo San Domenico. Entrata nella suite, indimenticabile fu la visione di una ventina di valigie da cui fuoriuscivano, come serpenti neri, i lunghi toupet e le parrucche, che andavano di moda, un centinaio credo, che avrebbero potuto imparruccare le comparse di Ben Hur e invece viaggiavano sui jet e nelle Rolls-Royce insieme agli altri infiniti bagagli della diva hollywoodiana. Mi domandavo perché le valigie fossero così numerose con l'altrettanto superfluo contenuto, quando le parrucche le sarebbero servite solo per due serate e due *matinée*: al massimo, con un giro vorticoso di cambi, ne avrebbe potute indossare quattro o cinque. Alla vista dei toupet, ricordo il rimprovero stizzito che Liz impartì con voce resa più acuta, quasi in falsetto, alla coppia dei segretari neri che avevano lasciato in bella vista le valigie aperte, non mettendo in conto che gli imprevisti erano in agguato e che insieme alla diva sarebbe potuta entrare in camera anche un'"intrusa" curiosa come me. Piena d'infantile entusiasmo in quell'occasione avevo detto all'inviperita Elizabeth che ero felice di essere nata come lei il 27 febbraio, riscuotendo una gelida e scontata indifferenza da parte sua. Forse non avevo messo in conto che nella conferenza stampa di qualche ora prima, Richard Burton non aveva staccato gli occhi dalle mie gambe, essendo seduta in prima fila. All'inizio mi aveva lusingato, poi preoccupato. Data l'insistenza e la fissità dei suoi sguardi, cominciai a guardarmele in cerca di un'eventuale macchia o chissà che cosa, finché lui intercettò il mio sguardo e incurante della moglie, e che moglie!, e dei giornalisti, quanti giornalisti!, mi disse ad alta voce sorridendo, felice di avere catturato la mia attenzione, «le guardo perché sono belle!». Lusingata, certo, ma anche imbarazzata, avevo messo una bella pietra sopra sull'impertinenza di Burton, tutta presa dalla possibilità di intervistare in privato Elizabeth Taylor di cui ero una fan.

Ma torniamo all'immagine che raccoglie insieme i quattro divi. Alberto indossa uno smoking impeccabile, i polsini escono come di regola dalla manica mostrando i gemelli. Sono lontane anni luce le scarpe bianche di quasi vent'anni prima e il suo look racconta quanta strada ha percorso Alberto per arrivare a quel 22 luglio 1972. Sordi simula una cordiale indifferenza anche se sorride tirato, ha una sigaretta in mano, è navigato, non mostra una goccia dell'entusiasmo di quando quasi abbracciava Totò. La bellissima Claudia Cardinale, trentaquattro anni, con un ampio sorriso conferma la sua innata, gentile semplicità e non è più la timida *pied-noir* nata a Tunisi da padre siciliano, prestata per caso per la sua bellezza al cinema, ma un'attrice completa e una diva consapevole, amata dai registi più importanti. È l'anno dell'agrodolce *Bello, onesto, emigrato Australia sposerebbe compaesana illibata* di Luigi Zampa, in cui lei impersona l'ex prostituta Carmela e Alberto l'emigrato Amedeo Foglietti.

Il mio compagno di viaggio e maestro era ancora Lello Bersani, il giornalista nato a Roma nel 1922 e volato in Cielo nel 2002 come inviato speciale a intervistare i suoi divi nell'Olimpo a loro dedicato. Segretaria generale del premio era stata per lungo tempo la contessa Elena Valenzano, ricordata da Gian Luigi Rondi per la sua "generosa intelligenza".

Nulla accade per caso e il ricordo della presenza a Taormina, implacabile e austera, della contessa – una vera vestale dei Premi David di Donatello e delle celebrità internazionali, a cui involontariamente pestai il nobile piede in un infradito ingioiellato e che suscitò purtroppo il suo ululato di dolore che rimbombò amplificato dall'acustica del Teatro Greco –, il suo ricordo, dicevamo, s'impresse per sempre nell'immaginazione ammirata di Alberto Sordi. La possiamo ritrovare infatti in uno dei film più famosi di Alberto, visto e rivisto da un enorme pubblico, *Il marchese del Grillo* del 1981, diretto da Mario Monicelli, soggetto dello stesso Monicelli, Bernardino Zapponi, Leonardo Benvenuti, Piero De Bernardi, Tullio Pinelli.

Elena Daskowa Valenzano era la madre arcigna e cattolicissima del marchese Onofrio, che invece era iconoclasta, cinico e arrogante, famosa è la battuta «*Io so' io e voi non siete un cazzo*», proclamata con sussiego dal nobile romano, così sprezzante del popolo e ciò nonostante, reso simpaticissimo dall'arte di Sordi.

Torniamo alle antiche pietre del muro del Teatro Greco. Fanno da sfondo ad Alberto e Claudia, mentre accanto a loro Richard Burton, quarantasette anni, con una camicia bianca ornata di jabot, sembra sorprendersi del fotografo, ma si sa che riscalda l'umore e scaccia la noia con numerosi drink. Con Alberto, Claudia e Dick, come chiama affettuosamente Richard, c'è anche Liz Taylor, quarant'anni, con un vestito floreale e qualche margherita sparsa tra i capelli. Sta lievitando, avviandosi verso quella carnalità piena difficile da contrastare anche con le diete più severe, che sfoceranno nella bulimia quando, divorziata per la seconda volta da Richard, sposerà ad Atoka, nella tenuta del sesto sposo in Virginia, il senatore John Warner, infelice matrimonio di cui si pentirà ben presto. Fare la "signora" e non la diva, ovvero la consorte di un uomo politico, con il dovere di sorridere non al pubblico e ai giornalisti ma a tutti i possibili elettori, era una situazione difficile da gestire, anche se ci provava annegando la noia e la rabbia nel cibo e nell'alcol. Nei primi anni Novanta rividi a Roma Liz, miracolosamente dimagrita e bellissima, dopo aver sposato a Neverland Valley, nel ranch di Michael Jackson, l'ex muratore Larry Fortensky, conosciuto nella medesima *rehab*, il "Betty Ford Center", in cui si era rinchiusa per smaltire la dipendenza dall'alcol e dai medicinali. A tavola ero seduta accanto a lui nel party esclusivo di Valentino e la conversazione non fu eccezionale, confermandomi che Liz non aveva la mano felice nello scegliere i mariti. Ricordo il suo faccione rubizzo di ex (?) gran bevitore, sormontato da improbabili capelli biondi che sapevano di tintura. Si guardava intorno con la curiosità e lo stupore di chi ancora non fosse abituato al glamour internazionale e questo suscitò la mia simpatia e comprensione.

Anni dopo intervistai ancora una volta Elizabeth a Parigi. Si muoveva con grande difficoltà, la malattia alla schiena, causata dalle vecchie cadute da cavallo, si era acuita e poco prima di morire era costretta a muoversi con la sedia a rotelle. Lei sembrò ricordarsi bene delle altre volte in cui c'eravamo incontrate, fu cordiale e disponibile, sostenuta dal suo avvocato speciale che curava i suoi interessi miliardari e che aveva stretto con me un'amicizia provvidenziale. Ricordo con quanta grazia lui avesse riscosso la sua attenzione per farmela intervistare: «Elizabeth! Elizabeth!», era un richiamo gentile e imperativo che me la fece subito avvicinare. La famosa diva dagli occhi viola si sarebbe spenta al Cedars Sinai Medical Center di West Hollywood il 23 marzo 2011, a poco più di un mese dal suo settantanovesimo compleanno. Ma questa è ancora un'altra storia.

18

La guerra e la dolce vita

Non è facile intuire il legame tra la Grande Guerra e la dolce vita. Un abisso di tempo sembra separarle, infatti tra il 1918, l'anno della fine del conflitto bellico, e l'opera felliniana del 1960 passano più di quarant'anni, e non sono pochi, e mai nulla fu più lontano della desolazione di una guerra dai vizi e i peccati di una vita "dolce" e dissoluta. A intuire il possibile legame fu l'intellettuale Philip French, critico dell'*Observer* per trentacinque anni e professore all'Università di Oxford, che con la sua critica del film *La dolce vita* equiparò la società raccontata da Federico Fellini alla "terra desolata", *The Waste Land*, il poemetto scritto nel 1922 da Thomas S. Eliot e rivisto da Ezra Pound. L'autore descriveva la moribonda Europa post-bellica, che dopo quattro anni tentava di lasciare alle spalle la desolazione della Grande Guerra che aveva portato sull'orlo della bancarotta le nazioni europee ed era costata milioni di vittime. Per Eliot, la terra desolata era anche quella londinese, una Londra come sarebbe stata vista molti decenni dopo la Roma felliniana, che per French era la satira "in grande scala" di una società empia divenuta una specie di Inferno, con i suoi cittadini assimilabili agli ignavi dell'inferno dantesco, metafora "dell'aridità del capitalismo e della società moderna". Di questo non potevano essere consapevoli Alberto Sordi, che un anno dopo avrebbe tanto sofferto dell'occasione perduta di essere il protagonista de

La dolce vita, ruolo dato da Fellini a Marcello Mastroianni, e Vittorio Gassman, destinati a interpretare due soldati semplici, lavativi e vigliacchi sullo sfondo della Prima guerra mondiale.

Era il 1959 e il produttore del film Dino De Laurentiis si era battuto come un leone contro gli ostacoli frapposti al suo progetto da parte della censura preventiva e dei militari. Dino voleva fare un film antiretorico, magari anche pervaso di un certo umorismo, e invece il soggetto dei due soldati vigliacchi aveva insospettito i generali e anche i censori puritani, che non accettavano che l'eroismo dell'esercito italiano fosse sporcato e messo in discussione e che tra i protagonisti ci fosse anche un prete che chiudeva un occhio sui bordelli frequentati dai militari. A sbloccare la situazione fu l'intervento propizio di Giulio Andreotti. Il ruolo della povera prostituta Costantina che doveva soddisfare gli appetiti e le nostalgie di un battaglione, De Laurentiis l'aveva affidato alla moglie Silvana Mangano, il leggendario amore di Alberto, anche se l'aristocratica figura di Silvana contrastava con l'infelice, misera prostituta. Gli abiti dell'attrice erano stati affidati al suo fedele amico Piero Gherardi, il grande costumista dei capolavori del cinema italiano che aveva tentato di deformare la bellezza della Mangano ricorrendo ai tiranti e alla plastilina, nonché alla gomma per allargare le narici del suo fantastico naso. Il risultato se da una parte aveva avvicinato il volto di Silvana a quello sfatto e perdente della prostituta da quattro soldi dei soldati, aveva inorridito Dino e Gherardi aveva dovuto fare marcia indietro, togliendo tutti gli artefatti e lasciando intatta la naturale eleganza della Mangano, accontentandosi di metterle sulla fronte una semplice e innocua frangetta. Nell'incontro descritto da Oriana Fallaci, De

121

Laurentiis era entusiasta della location di Venzone, il comune del Friuli-Venezia Giulia, in provincia di Udine, dove avrebbe girato alcune sequenze del film perché c'erano ancora le case sventrate della guerra, ma Silvana, alla richiesta del marito di descrivere l'estetica desolata del paese Venzone, confessò che era stata colpita solo dalla cripta che aveva visitato, dove c'erano «tutti i morti mummificati. Sono piccoli come bambini, leggeri come fogli di carta, una cosa che durava da secoli forse a causa di certi sali dentro la terra e per l'acqua». Una descrizione commossa che aveva fatto sussultare il napoletano De Laurentiis che avrà toccato quanto di più classico scaramantico hanno a disposizione gli uomini. Lui però non demordeva e aveva ragione quando si arrischiava a descrivere il suo progetto come «Un film coi fiocchi, un grandissimo film. Vittorio Gassman e Alberto Sordi sono superbi. Mario Monicelli fa una grande regia.»

Il soggetto era di Luciano Vincenzoni, ispirato da un racconto di Guy De Maupassant, *I due amici*, del 1883 sullo sfondo della guerra franco-prussiana del 1870-1871. La sceneggiatura era firmata da Age, Scarpelli, Vincenzoni e dallo stesso regista Monicelli. Come consulente si prestò il giornalista Carlo Salsa, che aveva combattuto sul Carso. Strano che tra loro non ci fosse come di consueto anche Sonego, che aveva sceneggiato *Il Moralista*, *Vacanze d'inverno*, *Costa Azzurra*, *Brevi amori a Palma di Majorca*, tutti film girati nello stesso 1959. Era evidente che Sonego, un'anima sola con il sodale Alberto, corrispondeva alle esigenze interpretative di Sordi su temi più o meno leggeri, sebbene fosse attentissimo alle tematiche politiche e impegnate. Comunque Dino teneva ad avere un gruppo di sceneggiatori scelti in sintonia più con lui che con gli interpreti.

Il cast è imponente, oltre a Sordi, Gassman e Mangano, ci sono Bernard Blier, Folco Lulli, Romolo Valli, Vittorio Sanipoli e anche Tiberio Murgia e Nicola Arigliano, che presta la sua maschera intagliata nel legno al meridionale Giardino sballottato nella bufera bellica. La fotografia è dei direttori Leonida Barboni, Roberto Gerardi, Giuseppe Serrandi, e Giuseppe Rotunno, il famoso collaboratore di Luchino Visconti e di Federico Fellini. La musica di Nino Rota. Una nota a parte meritano i costumi affidati a Danilo Donati che esordiva nel cinema proprio con il film di De Laurentiis e poi è stato il costumista che dal 1994 ha collaborato con Roberto Benigni. Con *Pinocchio*, il suo ultimo capolavoro prima di morire il 2 dicembre 2001, fu premiato con il David di Donatello per le migliori scenografie e i migliori costumi.

La trama de *La grande guerra* è imperniata sulle vicende del romano Oreste Jacovacci e del milanese Giovanni Busacca che, diventati commilitoni, nel 1915 s'impegnano a evitare i pericoli e le pallottole del nemico. Diversi per estrazione geografica, Oreste è un furbacchione servile con i superiori, Giovanni invece si dà arie da guascone, è un vero sbruffone solo a parole e non con i fatti. Almeno in una cosa sono uguali i due antieroi, la cinica mancanza di qualsiasi ideale. Il destino li porta a essere catturati dall'esercito austriaco. Intenti a fuggire, sono sorpresi a indossare i cappotti del nemico e vengono accusati di spionaggio. Vigliacchi come sono, ammettono di conoscere alcuni cruciali segreti militari italiani e per evitare la condanna a morte, promettono di rivelarli. Una battuta di disprezzo per gli italiani suscita un rigurgito di dignità in Giovanni che si rifiuta si collaborare. Messo a morte mediante la fucilazione, lo segue Oreste, che muore da eroe anche lui rifiutando di rivelare i segreti del contrattacco italiano sul Piave, un ponte di barche decisivo per l'esito della battaglia. Nel finale, nel baccano degli spari sostenuto dalla struggente canzone del Piave, durante l'offensiva che consegna la vittoria all'esercito italiano, i commilitoni danno per scontato che si siano imboscati.

Anche dopo l'uscita, il film non ebbe vita facile. La censura vi si accanì contro perché la descrizione dei soldati italiani non corrispondeva a quella retorica usuale e il linguaggio neorealistico raccontava la vita miserevole dei commilitoni, che diventava eroica a fronte dei quasi insormontabili ostacoli dell'ambiente e dell'approvvigionamento. Proibito ai minori di sedici anni, il film è considerato un capolavoro assoluto del cinema italiano, premiato alla Mostra di Venezia del 1959 con il Leone d'Oro.

Alberto era orgoglioso dei riconoscimenti alla sua arte tra cui anche il Premio Nastro d'Argento per *La grande guerra* del 1960, ma quello che forse lo gratificò maggiormente fu la critica di Giuseppe Marotta, che non gli aveva risparmiato i suoi giudizi negativi in altre occasioni, vedi *I Magliari*, che l'aveva deluso, definendo la sua recitazione "diseguale e scialba", anche se formidabile nel soliloquio in macchina. Marotta era uno scrittore e sceneggiatore, componeva le sue critiche per il *Corriere della Sera* ed è stato l'autore del celeberrimo *Oro di Napoli*, da cui De Sica trasse il film a episodi che lanciò definitivamente Sophia Loren.

Ecco come Giuseppe Marotta recensì l'interpretazione di Alberto ne *La grande guerra*, in cui massacrava quella di Gassman: «Una completa delusione, Vittorio Gassman (Giovanni). Tu, Monicelli, perché non lo hai fatto ancora balbuziente? (nda, si riferiva al personaggio de *I soliti Ignoti*.) Quel difetto, è indubbio, lo tenne a bada, lo imbrigliò. Qui egli ricade senza rimedio nella sua recitazione di asso del teatro, anemizzando il personaggio quanto più cerca di rinvigorirlo. Non è così geniale come sembra Vittorio Gassman; occorre lesinargli le parole in bocca».

Ammettiamo che Marotta avesse riservato la critica negativa a Gassman e poche parole di elogio solo a Sordi, che cosa sarebbe successo? La rivalità a stento camuffata che pervade lo spirito agonistico e narcisistico di ogni attore, che pratica la filosofia della *mors tua, vita mea* anche se si professa amico del collega, non poteva che rendere felice già di per sé Alberto. Marotta invece gli riservava addirittura un'apoteosi. Ecco come proseguiva nella critica riportata da Fofi: «Meraviglioso, al contrario, l'Oreste di Alberto Sordi. Che attore stiamo guadagnando in lui, che attore. Non mi uscirà più di mente il suo "Non voglio morire... io sono un vigliacco!" urlato mentre gli austriaci lo trascinano al muro. L'Oreste di Sordi è il genuino ritratto, spregevole o ammirevole che appaia, dell'istinto di conservazione».

E così concludeva: «Sordi ha meritato il suo trionfo su Gassman. Il fatto è che Alberto dimentica di volersi bene quando recita. Vittorio, no».

19

Dalla Svezia con furore

Persino a un uomo come Alberto, tutto dedito al lavoro e al successo, era impossibile che il pensiero dell'amore non si affacciasse mai. O, perlomeno, il desiderio di amare e di essere amato, senza quel senso di vuoto che gli lasciavano i mille incontri facili che il set e la fama gli servivano su un piatto d'argento. Di avventure, certamente, sì, ne aveva tante. Brevi, senza conseguenze, indolori, quasi come una puntura che passava presto. Prima le ballerine di fila, poi le attricette, qualche attrice di piccola fama, qualche signorina di buona famiglia, con un bell'aspetto e una buona dote, una certa educazione, ma non una cultura esagerata, perché a lui, Alberto Sordi, quelle con la puzza sotto il naso che citavano Gogol non piacevano proprio, gli passava la voglia. Il ricordo nostalgico di Andreina Pagnani lo accompagnava qualche volta, la donna di quattordici anni più grande che aveva amato per tanti anni, che compendiava con la sensualità carnale le figure di mamma Maria e di Aurelia e Savina: madre, sorella, amica, amante. Moglie, mai, però.

Nel 1962 Alberto aveva corso di nuovo il pericolo di accasarsi. La ragazza si chiamava Giovanna Manfredi e non era parente dell'attore Nino, ma la figlia di un amico, un affermato commerciante. Era una biondina assai carina, con una spruzzatina di efelidi e l'accento milanese che lo divertiva. E, soprattutto, aveva solo ventuno anni, esattamente la metà dei suoi quarantadue. «L'avevo incontrata a Portofino e la ragazzina mi piacque molto» confessò più tardi. Portò Giovanna in un night, lui la stringeva ballando con il savoir faire del latin lover navigato e tra un lento e l'altro, quasi fermo sulla mattonella, tuffava il naso nei suoi capelli che odoravano di giovinezza. Non era un'attrice, ma secondo Alberto aveva l'età adatta per essere "aggiustata" come voleva lui, in quanto malleabile per farne una moglie perfetta. Aveva sempre presente l'esempio di Dino De Laurentiis che s'era preso Silvana Mangano quand'era giovanissima, lui era maggiore di diciannove anni, e l'aveva resa madre dei suoi magnifici figli, Veronica, Raffaella, Federico, dal tragico destino, e Francesca. A sedici anni, Silvana era stata eletta Miss Roma e aveva preso parte al suo primo film a diciassette, *Il delitto di Giovanni Episcopo*, con la regia di Alberto Lattuada, in cui recitava in una piccola parte anche Alberto. Il primo amore era stato Marcello Mastroianni, che aveva ventidue anni, sei più di lei. Il successo improvviso la colse quando esplose come bomba sexy con gli short inguinali della mondina e le calze strappate a denudare le cosce esplosive in *Riso amaro*, di De Santis. I seni appuntiti perforavano lo schermo e la fantasia degli uomini, compreso Dino. Silvana aveva diciannove anni quando sposò il giovane produttore. Nel film *Anna*, dove aveva esordito Sophia Loren con il nome di Sofia Lazzaro, cantava *El negro Zumbòn* scritta da Armando Trovajoli, che divenne una hit internazionale, e in *Mambo* ballava sciolta, perché aveva studiato danza per molti anni e sognava La Scala. Alberto avrebbe voluto una donna come lei, che sembrava fare di malavoglia la diva e preferiva la casa e la famiglia agli onori della celebrità. Bellissima, unica e intensa, la Mangano lasciò un'impronta importante nel cinema italiano, dimostrando che il suo talento non era un miraggio come quello della sua Maga Circe, che incantava Kirk Douglas in *Ulisse*. Non era però solo l'eleganza di Silvana Mangano che seduceva Alberto, ma il mistero che conservava nello sguardo, quando se ne andava lontana da tutto, pur restando visibile agli occhi di tutti.

Se la piccola Giovanna Manfredi doveva incarnare il suo sogno, Alberto si sbagliava. Bastò portarsela a casa, nella villona meravigliosa piena di orpelli lussuosi, per capire che avrebbe fatto un grosso errore. Dopo averla presentata come di rito alle sorelle, vittime consapevoli della sua anoressia amorosa e aver consumato la cena romana preparata da loro, aveva piazzato Giovannina davanti al televisore che nei primi anni Sessanta aveva una valenza maggiore del terzo millennio, allora era un emblema di ricchezza e rappresentava anche una certa novità. Ciò nonostante, la ragazza rischiò di addormentarsi. «Lei faceva dei movimenti nervosi, muoveva il piede, si vede che non ne poteva più della noia, voleva andare a divertirsi. Era troppo ragazzina, poveretta.» Così Alberto non sposò la giovane Manfredi e questa ringraziò il Cielo di non essere stata "aggiustata".

Lasciata la giovane Manfredi, come soleva fare a ogni fine delle sue storielle d'amore, Alberto aveva ripreso a fare il punto sulla carriera, che poi era l'unica, vera, compagna della sua vita. Non era il denaro che gli mancava, né le occasioni di lavoro, ma la constatazione che mentre cresceva il successo degli altri "colonnelli" del cinema, Gassman, Tognazzi, Manfredi, ad Alberto sembrava che quel certo tipo di personaggio inventato da lui, il cialtrone, il greve, il colorito, il vile, glielo copiassero, e bene, rubandogli in un certo senso il copyright e abbassandogli il fatturato. Gli sembrava, insomma, che i suoi personaggi fossero inflazionati, che fosse logorata la maschera che per sette anni, dal '53 al '60, aveva prima creato plasmandola a sua somiglianza e poi con perseveranza e successo, continuato a portare sullo schermo. Mario Monicelli aveva detto che inventare dei personaggi comici nuovi era uno sforzo creativo importante, «che si esaurisce prima degli altri». Alberto, dal canto suo chiosava con Grazia Livi che «tutti si erano messi a fare quegli stessi personaggi, tutti si erano inseriti nel mio filone e copiavano le mie ricette... così io sentivo di dover cambiare tutto, capivo che dovevo rinnovarmi». Il contratto con De Laurentiis lo salvaguardava, ma non riusciva a rilassarsi, a prendersi un breve periodo di riposo. «Stavo lì ad arrovellarmi» diceva «a torturarmi, a pensare alla strada da prendere.» Intanto pensava a un piano B, passare alla regia e confessava alla stampa «Non ora, non subito, ma quando il personaggio che ho creato non piacerà più, allora sarà il momento di passare dietro la macchina da presa».

Poi Sordi ebbe una nuova intuizione che si mostrò anch'essa fortunata. Poteva continuare ad avere successo con un personaggio che apparteneva alla stessa generazione di Alberto, Moraldo e Fausto del felliniano *I vitelloni* o di Nando Moriconi di *Un americano a Roma*, «ma più adulto, più progredito... Quello che è uscito da un dopoguerra disastroso, ha messo su famiglia, si è comprato la Seicento, s'è fatto un posticino comodo nel lavoro, parla qualche parolina di straniero». E qui arriva la chicca, perché per quanto riguardava la moglie, la povera donna, no, non era migliorata, era rimasta una brava donna di casa e basta. Che fosse noiosa era sottinteso, che l'appeal passionale fosse sceso sotto i tacchi, pure. Tutto ciò giustificava la visione di Alberto secondo cui l'uomo, poveretto, cattolico romano che non avrebbe mai lasciato la moglie, era quasi obbligato a sognare un'evasione sia pur piccola. Così sperava di incontrare una ragazza e di portarsela a letto, stufo di quel "donnone" che per diciotto anni gli ha chiesto: «Che hai, sei assorto?». Altro che assorto, *un par di balle*. Ed ecco la genesi dei "donnoni" portati sullo schermo da Alberto, incarnati dalle dolcissime donne romane attrici per caso, rivelatesi bravissime, come Elena, la sorella di Aldo Fabrizi, e Rossana Di Lorenzo, la sorella di Maurizio Arena e zia di Pino Insegno, mancata cognata della principessa Titti di Savoia. Impersonavano le grasse, docili e remissive, dall'occhio rotondo di una mucca e la stessa attitudine all'ubbidienza.

Il santo e l'eroe non hanno mai fatto ridere nessuno, aggiungeva Sordi nel suo soliloquio, quando voleva spiegare la creazione del personaggio medio, "invaso da un eccesso di perbenismo, sprovveduto e pauroso".

Quando ne parlò a De Laurentiis, descrisse un italiano che andava in cerca di evasione, magari con un "viaggetto" all'estero. Dino lo stava a sentire, ma Alberto si stava dilungando senza arrivare al nocciolo della questione e il produttore stava perdendo il filo. Quando Alberto finalmente gli disse che voleva ambientare il film in Svezia, dato che le svedesi erano le mitiche donne dai costumi sessuali disinibiti, Dino si riscosse ed esclamò: «*Che ce frega a noi della Svezia?*». Soprattutto ad assottigliare l'interesse del produttore era la mancanza di un soggetto, di una trama precisa. Dato che non era così inutile mettere in cantiere il film per esigenze di produzione, Dino accettò Sonego come sceneggiatore e «per il resto» raccontò Sordi «restò tutto sul vago e ci mandò allo sbaraglio». Il regista, anche economico, era il giovane Gian Luigi Polidoro, che aveva l'unico vantaggio di conoscere già la Svezia, avendovi girato *Le Svedesi*. Alberto che, tutto sommato, aveva sempre dato credito alla sua paranoia, anche questa volta annusò la nascita di problemi che avrebbero potuto intralciare la sua visione del film. Avrebbe amato fare lui stesso la regia, ma dovette accettare la presenza di Polidoro, anche se a volte era lui a dare l'ordine di girare delle scene, che ancora non avevano la giusta collocazione, perché la trama non esisteva. A Stoccolma, Alberto ebbe la piacevole sorpresa di trovare una città linda con tanti negozi ricchi di merci sfavillanti, e soprattutto affollata di tante ragazze bionde e bellissime. Del film almeno c'era il nome del protagonista, Amedeo Ferretti, commerciante che sfoggiava il benessere indossando la pelliccia. La sera, Alberto e Sonego scrivevano le scene per il mattino dopo, il che sapeva di improvvisazione, come nella migliore tradizione del neorealismo italiano, di quando cioè si favoleggiava che gli attori dovevano recitare i numeri «Uno, quattro, diciotto, undici... Ventuno!» al posto delle parole delle battute, perché poi le avrebbero scritte gli sceneggiatori e pronunciate i doppiatori. Implacabile nel suo cinismo anti matrimonio, Sordi si era divertito nella scena in cui Ferretti – che aveva sempre avuto vicino, diceva, «quel trombone di moglie al fianco» –, sale nella stanza della biondissima di turno. Il film si basava sullo scontro tra due diverse mentalità: quella dell'uomo borghese, ancorato alle tradizioni e al costume italiano, e quella delle ragazze libere, che credevano nel «sole e nella natura», per le quali l'atto d'amore era la naturale conseguenza di una sia pur casuale attrazione fisica.

131

Fu trovato il titolo, *Il diavolo*. Il soggetto e la sceneggiatura erano di Rodolfo Sonego, le interpreti, oltre Sordi, un nugolo di sconosciute dal nome quasi impronunciabile, Gunilla Elm-Tornqvist, Anne-Charlotte Sjöberg, Barbro Wastenson, Monica Wastenson, Ulf Palme. De Laurentiis non aveva cambiato idea, anzi alla proiezione, fu ancora più chiaro. Disse che non aveva mai visto un film più noioso di quello e lo vendette a degli indipendenti. Invece nel 1963 *Il diavolo* vinse l'Orso d'Oro al Festival di Berlino, ex equo con un film giapponese, e Alberto Sordi si aggiudicò il Golden Globe come miglior interprete.

A Sordi non restava che ubbidire a De Laurentiis, che non voleva più sentire parlare di un film come *Il diavolo* e lo mise subito al lavoro con una sequela di pellicole: *Il boom* con la regia di De Sica, *Il maestro di Vigevano* di Elio Petri, tutti del '63; *La mia signora* con la regia di Tinto Brass, Comencini e Bolognini e *Il disco volante* di Tinto Brass, nel '64. Entro quell'anno, Alberto partecipò anche al film antologico *Risate all'italiana*, con Totò, Walter Chiari, Ugo Tognazzi e Peppino De Filippo. Escluso quest'ultimo, pur con tutto l'impegno e la voglia di fare sempre meglio, nessuna delle pellicole ebbe un gran riscontro al botteghino, ma la critica promosse Alberto ancora una volta. Per *Il maestro di Vigevano*, lo definirono «straziante e ridicolo, sublime e miserabile, cretino ed eroe».

Solo un grandissimo attore avrebbe potuto dare il meglio di sé con un ventaglio di emozioni e sentimenti così contrastanti.

A quel punto Dino e Alberto si trovavano a un bivio: l'uno voleva film con incassi sicuri, l'altro era rancoroso perché si sentiva oggetto di scelte che non condivideva. I due arrivarono ai ferri corti. Quando Alberto si recava negli uffici del produttore, si racconta che ci fosse un fuggi fuggi generale, perché tutti sapevano che il carico di rivendicazioni avrebbe scatenato un uragano.

Arrivarono così alla rottura. Era il 1965 quando Alberto dovette affrontare i giornalisti che gliene chiedevano le ragioni. Rispose con apparente flemma e *understatement*, che lui doveva guardare al suo futuro d'attore, in quanto tanti altri attori bravi e tanti altri film di successo non dovevano essere sottovalutati. Che anche Dino doveva guardare al suo futuro di produttore e che quindi «questi due interessi non potevano collimare». Amen.

Timeo Danaos et dona ferentes, avrebbe detto Virgilio: prima dell'addio, De Laurentiis gli aveva fatto dono di un film con un incontro indimenticabile, *I tre volti*, con protagonista la principessa Soraya Esfandiary-Bakhtiari.

20

Un sogno chiamato Soraya

Verso la metà degli anni Novanta, un giorno d'inverno baciato dal tiepido microclima della Costa del Sol, ebbi un'apparizione al Marbella Club, dove iniziavo a trascorrere una breve vacanza in compagnia della mia amica del cuore, l'indimenticabile Laura Biagiotti, e delle nostre famiglie. Era una donna con un abito di seta gialla corto al ginocchio, appena sfiorita, ma ancora bellissima, spalle larghe, gambe nervose e sottili e gli occhi verdi affacciati su un volto indimenticabile. Era la principessa Soraya Esfandiary-Bakhtiari, un mito che volgeva al tramonto, ma faceva ancora voltare le teste al suo passaggio. La scortava come sempre l'amica prediletta del cuore, una piccola signora bionda. Mi dissero che la principessa quasi ogni giorno veniva a pranzo al Marbella Club, a volte accolta dagli amici del jet set. Avendo in comune l'amico Massimo Gargia – l'ideatore del premio internazionale The Best, l'Oscar dell'eleganza che si teneva a Parigi che lei aveva vinto più volte e nel mio piccolo, anche io –, Soraya, nonostante la sua proverbiale riservatezza, volle essere particolarmente affabile nei miei riguardi mentre la salutavo in italiano. Mi disse che era soddisfatta della sua residenza spagnola confortata dall'amicizia di tanti spagnoli, francesi e tedeschi, come la biondissima jet-setter Gunilla von Bismarck, un vero ciclone di energia, ospite anche lei in quel periodo del resort. Era scontato che Soraya amasse le

134

comodità del Marbella Club avendoci vissuto a lungo, prima di trasferirsi nella villa non distante, a Guadalmina Baja, la Beverly Hills spagnola, un edificio basso dai colori chiari, con cinque camere da letto, un patio sorretto da due colonne bianche e una grande piscina, circondata da un giardino di 3.600 metri quadri. A mantenere il suo dispendioso stile di vita aveva provveduto da lungo tempo Reza Pahlavi, lo Scià di Persia, che l'aveva ripudiata per la giovanissima Farah Diba, sposata per dargli il sospirato erede al Trono dei Pavoni e da cui erano nati i cinque figli, Reza Ciro, Farahnaz, Alireza e Leila, questi ultimi morti prematuramente, l'uno suicida, l'altra per abuso di farmaci contro la depressione. Il matrimonio, l'esilio, la sterilità della principessa erano diventati una favola degli anni Cinquanta, inseguita da frotte di paparazzi come la principessa Diana d'Inghilterra, celebrata sulle copertine dei settimanali più importanti del mondo e in Italia da *Oggi* e *Gente* che facevano a gara per raccontarne le pene d'amore. Il 12 febbraio 1951 Soraya, diciannovenne, era stata immortalata sul trono d'oro con il sontuoso abito da sposa impreziosito da 6000 diamanti disegnato da Dior e nel corso della lunghissima cerimonia era svenuta tre volte. Era nata a Isfahan il 22 giugno del 1932, il padre era Khalil Esfandiary della tribù Bakhtiari, ambasciatore dell'Iran nella Repubblica Federale Tedesca, e la madre Eva Karl, un'ebrea tedesca di origini russe, da cui aveva ereditato i magici occhi verdi. Un flusso continuo di immagini fermano ogni istante della sua vita privata, prima per celebrare l'amore con il fascinoso Scià che l'adora e poi per seguirne il ripudio nel 1958, a cui Reza fu obbligato dalla ragion di Stato. E via via, a comporre un album ricchissimo di gossip, Soraya fotografata con la madre a sciare, Soraya al mare negli scatti rubati ed esclusivi che ne svelano le forme, Soraya a Roma con gli occhiali da diva a coprire lo sguardo, che a causa delle sue vicissitudini, l'ha fatta ribattezzare "la principessa dagli occhi tristi". E poi gli amori venuti dopo quello infelice con Reza Pahlavi, che in prime nozze aveva sposato Fawzia, la sorella del re Farouk d'Egitto, da cui era nata la prima figlia, Shahnaz, e poi aveva corteggiato la giovane e graziosa principessa Gabriella di Savoia, mentre il fratello Vittorio Emanuele era impegnato in affari con lui. A Capri, Soraya è fotografata con l'aitante principe Raimondo Orsini, un metro e novanta e occhi azzurri, dei suoi presunti amanti si sussurrano i nomi, gli attori Hugh O'Brian e Maximilian Schell e il miliardario Gunther Sachs, finché il vero amore divampa con Franco Indovina, già sposato e padre di due bambine, il regista del film del destino *I tre volti*, che lascerà un segno indelebile anche nella vita di Alberto Sordi.

Coetaneo di Soraya, Franco Indovina era stato l'assistente di Michelangelo Antonioni ne *L'avventura*, con Monica Vitti, di Visconti, di Rosi e De Sica, e fu chiamato a dirigere nel 1965 la principessa nel film che De Laurentiis considerava un fiore all'occhiello delle sue produzioni, perché era riuscito a convincere a interpretarlo la bellissima signora del jet set più famosa del mondo. La passione, tenuta all'inizio segreta, legò subito il regista siciliano e Sua Altezza Imperiale, la Principessa dell'Iran, questo era il titolo conservato al momento del ripudio dello Scià, che poi s'incoronò Imperatore con la moglie Farah Diba. Cacciato nel 1979 dall'Ayatollah Khomeini a capo della rivoluzione iraniana, morì in Egitto un anno dopo ammalato di tumore.

Franco Indovina dovette districarsi tra il rapporto con la

moglie, che diede alla luce la seconda figlia Lorenza quando lui la voleva lasciare, e la principessa di cui si era perdutamente innamorato. Cercando di depistare stampa e fotografi, il regista e Soraya vissero in Italia una vita borghese, che lei aveva sempre sognato, come le ragazze comuni sognavano una vita da principessa. Era un amore che finalmente le ridava la gioia di vivere, ma il destino crudele ancora una volta volle toglierle quella grande felicità inaspettata con la tragica morte dell'uomo amatissimo: nel 1972 Franco Indovina scomparve con altre 149 persone nell'incidente aereo di Montagna Longa a Punta Raisi, vicino all'aeroporto di Palermo.

In quell'autentica e sofferta love story, come s'inserisce la leggenda dell'amore di Alberto per la principessa triste? Facciamo un passo indietro.

Soraya Esfandiary era stata tentata dalla carriera d'attrice, e dopo anni di esilio, le proposero a Parigi d'interpretare *Caterina II di Russia*, prodotto da De Laurentiis, ma il progetto non ebbe seguito. Con una produzione inglese, sempre nel '65, prese poi parte nel ruolo di "Soraya" al film *La dea della città perduta*, un polpettone storico con Ursula Andress, Peter Cushing e Christopher Lee. Molti anni dopo, interpretò ancora due film, *The Two Ronnies*, nel 1975, e *Doctor at the Top*, nell'episodio *The Kindest Cut*, nel 1991.

De Laurentiis non voleva rinunciare ad averla come protagonista di un film in technicolor prodotto da lui, così ebbe l'idea di costruirne uno tutto su di lei. E così nacque *I tre volti*, il film a episodi più noto della sua carriera. Il produttore affidò il prologo a uno dei maestri del cinema italiano, Michelangelo Antonioni. Si trattava della registrazione del provino di Soraya, in cui era ripresa mentre recitava un monologo. La macchina da presa l'amava e, stringendo in primo piano il volto, dimostrava quanto anche i lievi difetti del naso e dei denti fossero un "plus" tanto era fotogenica, aiutata in questo dal mago delle luci Carlo Di Palma, che fu il compagno di Monica Vitti dopo Antonioni, tanto bravo da essere scelto da Woody Allen per i suoi film.

Il primo episodio s'intitolava *Gli amanti celebri* e la regia era di Mauro Bolognini. Tanto per non fare sentire sola Soraya, declassata dal rango di principessa ad attrice protagonista, Dino ebbe l'idea di affiancarle un'altra principessa nostrana, la bella e affascinante Esmeralda Ruspoli, che sposò l'attore Giancarlo Sbragia. L'uomo conteso, Robert, era impersonato da Richard Harris e Soraya interpretava un po' se stessa: una signora del jet set annoiata, coinvolta in un triangolo sentimentale giunto al capolinea. L'ultimo episodio era intitolato *Latin lover* e la regia era affidata all'ex allievo di Antonioni, Franco Indovina. Altri interpreti di *I tre volti* erano il giornalista Ivano Davoli e il celebre scrittore e attore, l'aristocratico José Luis de Villalonga. Dino convinse Alberto a interpretarlo, anche se non era nelle sue corde cedere il passo a una partner più famosa di lui, sebbene molto meno brava, mentre a non dargli ombra era l'altro unico interprete, Goffredo Alessandrini. Dino impiegò tutta la sua forza di persuasione per convincerlo. Per esercitare maggiore pressione, promise di affidare il soggetto e la sceneggiatura dell'episodio a Rodolfo Sonego, Franco Indovina e allo stesso Sordi. Quando ci riuscì, Alberto si presentò alle prove curioso di conoscere da vicino una donna così affascinante che, in qualche modo, gli ricordava Silvana Mangano. Belle, altere, quasi scostanti, misteriose, entrambe sembravano celare nello sguardo un segreto che non avrebbero rivelato a nessuno. Il latin lover in questione era appannato, l'episodio raccontava le patetiche vicende di un gigolò in declino, altro aspetto che aveva scocciato Alberto, ma il contratto con De Laurentiis era ancora in piedi e doveva assoggettarsi. La trama era lineare e raccontava di una ricca americana che arrivava a Roma e richiedeva a un'agenzia specializzata le prestazioni di un latin lover. Si presentava educatamente il signor Armando Tucci, che nascondeva dietro la figura del corteggiatore di professione, la tristezza di essere disoccupato e, piccolo difetto, anche di essere sposato. Singolare beffa la finzione cinematografica che si sarebbe tradotta in realtà molti, molti anni dopo, quando si vociferava che la principessa Soraya amasse la compagnia di giovani uomini a pagamento.

Angelo Frontoni, il famoso fotografo delle dive dalla faccia di elfo biondo e gli occhi celesti come il cielo, fermò il triangolo formato da Soraya, Alberto e il regista Indovina con una foto che adesso è digitalizzata dal Museo Nazionale del Cinema di Torino, datata 1964 nonostante il film sia del '65.

Un triangolo che s'impresse nella fantasia degli spettatori italiani, quando si cominciò a insinuare che Alberto si fosse innamorato della principessa.

Sulla scrivania dello studio, dove lavorava al copione scelto tra i tanti che gli pervenivano, fino alla sua morte, c'è sempre stata la foto di Soraya nella cornice d'argento. Come tanti fan della sua, Alberto era orgoglioso della dedica che lei gli aveva scritto. Quando era stanco, alzava gli occhi dagli appunti e guardava il volto della donna che forse, almeno nei suoi sogni, sarebbe potuta essere davvero la mitica, e mai incarnata, "signora Sordi". Fa sorridere pensarlo ammogliato con una donna del genere, che peraltro aveva l'età giusta essendo minore di dodici anni, ma era assai improbabile immaginarla seduta a tavola davanti a un piatto di pasta all'amatriciana o di gnocchi alla romana cucinati dalle amatissime sorelle Savina e Aurelia, lei che aveva fatto le visite di Stato accanto allo Scià e splendida e sottile in abito da gran sera, aveva posato accanto ai premier dell'epoca. D'altronde nel suo carnet di amanti il divo Alberto non sarebbe stato un'eccezione, perché Soraya si era accompagnata anche a Maximilian Schell, l'attore tedesco che aveva girato nel '62 *I sequestrati d'Altona* con Sophia Loren. Le foto della coppia erano rimbalzate da Broadway a Parigi a Berlino, ma la relazione era finita ancora una volta nel nulla.

A rivelare il forte legame tra Alberto e Soraya è stato un testimone d'indubbio valore e credibilità, l'avvocato Giorgio Assumma, consorte della nota avvocatessa Maretta Scoca, che molti telespettatori hanno potuto conoscere nelle vesti di giudice a *Forum*, condotto da Barbara Palombelli su Canale 5. Giorgio Assumma è l'avvocato che, oltre lo stesso Sordi, ha seguito tanti personaggi famosi, da Maurizio Costanzo a Pippo Baudo, grande esperto di diritto d'autore, insegnante universitario e giurista esterno consultato per la Santa Sede sulla nuova legge per il copyright del Papa. Quindi se afferma che Alberto e Soraya hanno intessuto una lunga e intensa storia d'amore, non può che essere vero. «In realtà quello con l'ex imperatrice di Persia fu un legame fortissimo» ha detto nel 2016, durante la serata di gala organizzata dalla Fondazione Sordi per celebrare il 96mo compleanno di Alberto se fosse stato in vita. Su *Grand Hotel* nel luglio di quello stesso anno, l'avvocato Assumma dichiarava a Luisa V. Sandri che «Alberto Sordi ha avuto molte donne, ma sono stati amori assolutamente passeggeri. Di amori grandi, veri, per quanto mi risulta, ne ha avuto soltanto uno. Per una bellissima donna che era anche una principessa: Soraya».

Se Alberto ha potuto coltivare in segreto la sua passione per Soraya Esfandiary, sarà avvenuto dopo la scomparsa di Franco Indovina, prima sostenendola nel lutto per la prematura scomparsa di lui, e poi diventando insostituibile amico e innamorato, su cui appoggiarsi in segreto fino alla sua morte. Soraya, che negli ultimi anni si era data al bere e soffriva di depressione, morì di morte naturale nel suo letto a Parigi nella casa dell'ottocentesco VIII Arrondissement sulla "Rive droite". A trovarla senza vita il 26 ottobre 2001, due anni prima della morte di Alberto, fu la sua cameriera, che come ogni mattina, si era recata al lavoro. Soraya aveva sessantanove anni e fu sepolta accanto ai genitori e al fratello Bijan, morto una settimana dopo di lei, nel cimitero di Westfriedhof a Monaco di Baviera. I suoi beni vennero venduti all'asta e nel 2015 l'Unità di crisi per i rifugiati diede ospitalità nella sua villa di Marbella caduta in abbandono a donne nubili scappate dalla guerra in Siria con i loro figli minori, villa che in seguito fu acquistata e riportata a nuovo splendore e può essere affittata da chi ha a disposizione molto denaro e il sentimento della nostalgia.

Nel 2003 a prestare il volto alla principessa triste nella miniserie tv di Lodovico Gasparini è stata l'intensa Anna Valle. La figlia di Franco Indovina, Lorenza, aveva sei anni quando il padre morì a Punta Raisi, dodici quando restò orfana anche della madre, ed è una brava attrice di cinema e televisione. Prese parte al film tv *Un bacio nel buio*, con Patricia Millardet e Florinda Bolkan, Tony Musante e Ben Gazzara, tratto dal mio romanzo omonimo, edito da Mondadori,

e con i suoi film è stata candidata come migliore attrice protagonista al David di Donatello e al Nastro d'Argento. Cin-
quantenne, ha un sogno nel cassetto, diventare regista come
il padre.

Alberto nascose il suo omaggio alla principessa dando il
nome di Soraya alla figlia del personaggio di Rita Canegatti
nel film *In viaggio con papà*, del 1982, di cui era regista e
protagonista con il "figlio" ed erede del cuore Carlo Verdone, un modo complice per far sorridere la principessa dagli
occhi tristi.

21

Mogli & amanti, pensiero stupendo

La lunga scapolaggine di Alberto poteva avere anche i suoi vantaggi. L'aveva gridato persino a Oriana Fallaci, «preferisco esser zitello!», con una nota di autoironia, perché essere scapolo era per lui un punto d'orgoglio, corrispondente al *bon viveur* che preferiva correre la cavallina, piuttosto che abbassarsi a sposarsi. Un tempo, la parola zitella equivaleva a una donna non più giovane, nel senso che aveva appena passato i trent'anni, insoddisfatta, beghina, noiosa, bruttina e occhialuta, pronta ad attaccarsi a qualunque essere umano di sesso maschile. Erano gli anni in cui circolava la definizione di *Genoveffa la Racchia* e del politically correct non se ne parlava nemmeno. Le mogli per Alberto erano i "donnoni" sformati da cui evadere giustamente, con buona pace delle femministe, quelle della cosiddetta "seconda ondata" influenzate da Simone de Beauvoir e Betty Friedan, che cominciavano a serpeggiare nella società italiana democristiana come un veleno e presto, per i benpensanti, l'avrebbero ammorbata, ma si avvicinava il '68, era l'alba della rivoluzione sessuale, Timothy Leary si professava guru delle droghe psichedeliche e il risveglio dei figli dei fiori contava sulla colonna sonora dei Beatles e dei Pink Floyd.

Uno dei grandi vantaggi dell'essere scapolo era potersi muovere liberamente, senza dovere architettare scuse e alibi complicati, e concedersi incontri sessuali senza impegno. Alberto aveva scoperto l'acqua calda, cioè che un buon vivaio era costituito dalle donne sposate, che non pretendevano molto, concedevano tutto ed erano terrorizzate di essere scoperte dal marito. A confermarglielo, erano stati i viaggi in Brasile, terra di conquista dopo la Svezia, perché Alberto aveva intenzione, d'accordo con Sonego, di girarvi un altro film, questa volta diretto da lui, sulla scia de *Il diavolo*. Ma procediamo con quello che alla stampa era concesso di sapere, mentre dell'evasione lontana dagli scatti dei fotografi, solo i collaboratori più stretti come Bettanini, le sorelle e il fratello Pino erano a conoscenza, anche se tenuti al segreto, alla fine, di Pulcinella.

Nel gennaio 1964, Alberto e il fido sceneggiatore Sonego si erano imbarcati all'Estoril, a ovest di Lisbona in Portogallo, su una nave che offriva le comodità di un grande albergo. Ammise di conoscere tutti i transatlantici più importanti, l'Andrea Doria, la Michelangelo, la Raffaello. E persino il mitico Rex, la cui sirena risuona ancora nell'Armarcord felliniano. Per l'arricchito Alberto, nativo di Trastevere, era un'immensa emozione viaggiare per parecchi giorni fianco a fianco con chi ricco era nato e rappresentava il capitalismo mondiale come i Krupp e i Rothschild.

Sordi e Sonego si erano diretti a Rio de Janeiro, dove sarebbe impazzato il Carnevale. Il film in progetto era la storia di un tecnico italiano trasferito per lavoro in Sud America dove, in attesa del ricongiungimento famigliare con la moglie, ovviamente grassa e sfatta, e i figli, s'innamorava di una giovane snella dalla pelle color cannella. Se *Il diavolo* non era piaciuto a Dino De Laurentiis, ancora meno lo convinceva il soggetto brasiliano, perciò chiese di fare ritorno al più presto dalla crociera, perché aveva ben altri film in cantiere da fare interpretare a Sordi. Con la gentilezza del porgere pare che gli avesse fatto sapere che non voleva che gli facessero «un'altra boiata come quella!».

In realtà, Alberto conosceva molto bene il pezzo del Brasile che comprendeva Rio de Janeiro e Guarujá, nello Stato di San Paolo, di fronte all'isola di Santos. La ragione era semplice, poiché lavorava tantissimi mesi all'anno, soprattutto d'estate, si ritagliava una vacanzina verso il 15 gennaio e, *of course*, cercava il caldo. Ma non solo. Lontano dagli occhi indiscreti dei giornalisti, poteva liberarsi e andare a ballare e a donne, senza che nessuno lo beccasse, visto che i paparazzi erano molto attivi anche ai suoi tempi. Nei momenti di pausa, si concedeva anche un mese filato di riposo e si capiva che aveva trovato un posto segreto, perché verso il 15 febbraio si palesava a Roma all'improvviso "nero come il carbone". Un'abbronzatura intesa come status symbol di ricco, che poteva permettersi una vacanza al sole quando gli altri comuni mortali si coprivano con il cappotto. Come lui, andavano a Guarujá o nell'isola di Santos, miliardari doc, Rudy e Consuelo Crespi, i Matarazzo, i ricchi industriali paolisti. O magari, l'alto e affascinante Francesco "Baby" Matarazzo Pignatari, a capo di 365 aziende, il secondo marito della principessa Ira von Fürstenberg, diventata attrice e nel 1969, interprete del film di Sordi *Il Prof. Dott. Guido Tersilli primario della Clinica Villa Celeste convenzionata con le mutue*, per la regia di Luciano Salce.

Sordi descriveva così il piccolo paradiso brasiliano: ville di super lusso, con due club esclusivi, a breve distanza di volo da Rio, dove poteva scatenarsi con le ragazze più belle e disinibite. Oppure, dal lunedì al venerdì, fare strage dell'improvvisato harem di belle donne sposate e annoiate, felici di avere un'avventura con il divo italiano, perché, come da prassi, erano raggiunte dai mariti paolisti solo durante il weekend. Per ben sedici anni, confessò a *la Repubblica*, queste erano state le sue vacanze d'amore.

Di harem, però, e di amanti e di mogli in generale, ne aveva parlato anche nel 1966 con Lietta Tornabuoni su *L'Europeo*. L'italiano, le aveva spiegato, è poligamo, cosa che non erano tutti gli altri uomini. Gli anglosassoni, per esempio, per lui valeva il detto: niente sesso, siamo inglesi. Il francese, con la paura di spendere, non se lo poteva permettere, l'americano era terrorizzato dalle donne, il tedesco ambiva alla pace e basta. L'italiano, invece, era di bocca buona, a lui bastava che l'amante fosse bella, piacente, naturale, affezionata, fedele e per bene. E, tanto per non farsi mancare nulla, anche educata, sapersi comportare, non rompere le scatole e, ovvio, non chiedere soldi. Ma non solo: l'amante doveva garantire all'uomo il comfort fisico, quindi doveva saper cucinare, non essere esigente sul piano passionale, lasciarlo dormire quando aveva sonno, avere la casa comoda, stirargli la camicia se serviva. L'amante doveva anche essere sentimentale, è quella che ammira il suo uomo, lo considera un oracolo, gli fa i complimenti. L'amante non doveva combinare il guaio (nda guaio significa che non doveva rimanere incinta) e se proprio ci rimaneva, allora doveva essere una madre esemplare.

Di fronte a queste argomentazioni, l'attonita giornalista Lietta trovava quindi a stento la voce per chiedergli timidamente che cosa distinguesse l'amante dalla moglie, e qui Alberto poteva finalmente estrinsecare il suo incubo personale, la moglie identificata come "donnone", ovvero donna grassa e in sfacelo, sottomessa, ma avida, e badante infermiera.

«Il fatto, capisce, è che per l'italiano la moglie diventa subito una madre. Cioè quella donna sublime ma rancorosa, devota ma grassa che guarda la casa, cresce i figli, parla solo di soldi, si prende rimproveri, parolacce, fa le iniezioni, conosce tutte le miserie, tutto sa e tutto perdona.»

Quanto all'amante, Alberto aveva una teoria personale.

«Dall'amante l'uomo ci va per passare una serata tranquilla, per guardarsi in pace *Domenica Sport* senza moglie e figli che lo angosciano perché vogliono guardarsi *Il conte di Montecristo*. Lei tace e acconsente, altrimenti che amante è?»

Quindi Alberto finiva il ragionamento sfiorando le vette della logica matematica, disegnando una semplice equazione, corredata del risultato: la moglie diventa la madre, l'amante diventa la moglie, ma se ciò accadesse, l'amante scoccia anche lei e addio alla libertà, il povero uomo se le doveva tenere tutt'e due.

Al che Lietta Tornabuoni tentava l'affondo e chiedeva: «L'harem, allora?» per sentirsi redarguire da Alberto, che già era scocciato di dovere trasferire tanta ricchezza di conoscenza umana a una giornalista, difettata per di più essendo donna.

«E no, allora lei non mi segue! No, l'harem, no. La donna è gelosa e l'italiano non vuole confusioni. L'harem no, perché l'italiano ama il segreto, la congiura, l'intrigo, se non dice bugie, non si diverte. L'harem è una porcheria, una depravazione orientale. Invece, tante case, tante donne, e lui a dominare su tutte come un papa. Se deve piantare una donna, non gli passa per la mente di dire non ti amo più, arrivederci.

No, deve inventare una madre malata di cuore, un viaggio, una fatalità del destino.»

Un'ultima riflessione socio-politica sulla dannata ipotesi del divorzio.

«Il divorzio è chiarezza, è scelta: l'italiano invece non vuole scegliere, non desidera chiarezza. Il divorzio per lui sarebbe un problema, se non una disgrazia.»

Nel senso che l'italiano, ovvero l'alter ego di Alberto, con il divorzio sarebbe stato obbligato a scegliere tra la moglie e l'amante, per ritrovarsi ancora con una seconda moglie che sarebbe diventata a sua volta un altro "donnone", grassa, avida, eccetera, eccetera.

Dal 1966, anno in cui il quarantaseienne Alberto spiegava la sua filosofia alla Tornabuoni, è trascorso mezzo secolo e siamo arrivati al primo ventennio del terzo millennio, in cui i femminicidi sono così numerosi da costituire una vera strage di mogli, compagne, amanti e fidanzate; omicidi da parte dell'uomo che, al contrario di quello descritto da Sordi, non vuole essere lasciato. Tragica contraddizione tra la noia di un consunto rapporto deprivato della passione fisica e il vile egoismo dell'uomo a cui la società non permette più di essere un padre padrone e da decenni ha liberato la donna.

E chissà come giudicherebbe il "pensiero stupendo" dell'uomo Sordi la regista Francesca Comencini, autrice di *Amori che non sanno stare al mondo*, che narra i rancori e i rimorsi di due professori universitari, Claudia e Flavio, lei nevrotico-ossessiva e lui passivo-aggressivo, che dopo sette anni si separano perché lui l'ha tradita con una ventenne. La Comencini è figlia della principessa Giulia Grifeo di Partanna e di Luigi, il glorioso regista di tanti successi della commedia all'italiana, scomparso nel 2007, che aveva diretto i nostri maggiori attori, compreso Alberto nel 1960 in *Tutti a casa* con Eduardo De Filippo e nel 1972 in *Lo scopone scientifico*, il cui cast straordinario comprendeva oltre Sordi, Silvana Mangano, Bette Davis e Joseph Cotten.

Francesca Comencini ha voluto raccontare la fenomenologia della guerra dei sessi, come aveva fatto nel 1973 Ingmar Bergman con *Scene da un matrimonio*, con protagonisti i coniugi Marianne e Johan. Dopo varie vicissitudini, il tradimento di lui con una studentessa, il divorzio, un secondo matrimonio per entrambi, quando si rivedono, non scatta più la passione e Marianne conclude: «Credo che in fondo c'è il rimpianto di non aver mai amato nessuno e che nessuno mi abbia amato».

Una battuta che nel privato, e non sullo schermo, avrebbe potuto pronunciare pure Alberto, anche se da marpione com'era, non cessava di provarci con le belle ragazze che gli capitavano a tiro, come era avvenuto sul set di *Fumo di Londra*.

La verità dopo la Pagnani anche Alberto se l'era tenuta stretta nel cuore lontana dagli occhi indiscreti della stampa, pieno di un sofferto pudore.

22
Fumo di Londra

Gli anni Sessanta segnarono una svolta definitiva nel costume e nella società con la rivoluzione sessuale propugnata insieme agli ideali antibellici, dai movimenti giovanili di protesta.

All'inizio del decennio in Inghilterra era decaduto il veto al romanzo *L'amante di Lady Chatterley*, pubblicato dalla casa editrice Penguin, processato per oscenità e difeso dall'accademico di chiara fama Richard Hoggart. L'autore David Herbert Lawrence raccontava la scandalosa vicenda di Lady Constance che tradiva con il guardiacaccia Oliver Mellors l'aristocratico marito Clifford Chatterley tornato paraplegico e impotente dalla Prima guerra mondiale. Teatro delle scandalose scene di sesso erano i boschi dove nel silenzio della natura la nobildonna era libera di amare il vigoroso dipendente, antesignana della ribellione alle convenzioni sociali e al potere maschile. Lo scrittore inglese aveva steso il romanzo in Toscana tra il 1925 e il '28, ispirato in realtà dal tradimento della moglie Frida von Richthofen, innamorata di un italiano, il tenente dei Bersaglieri Angelo Ravagli, che sposò in terze nozze dopo la morte nel 1930 di Lawrence malato di tubercolosi.

Sei anni dopo, nel 1966, l'Alta Corte americana assolveva lo scandaloso romanzo erotico *Fanny Hill. Memorie di una donna di piacere*, scritto nel 1748 dall'inglese John Cleland, con la motivazione che il sesso era «una grande e misteriosa forza motrice nella vita umana». La rivolta studentesca era alle porte e la pillola anticoncezionale diventava legale in Francia con la legge Neuwirth. Sempre nel 1967, Gianni Morandi cantava «C'era un ragazzo che come me amava i Beatles e i Rolling Stones, cantava *Help* e *Ticket to ride*, o *Lady Jane* o *Yesterday*. Cantava viva la libertà, ma ricevette una lettera, la sua chitarra mi regalò... adesso è morto nel Vietnam...».

Alberto era attentissimo all'evoluzione della società, fonte di ispirazione per le storie da portare sullo schermo, in cui lui poteva interpretare l'italiano medio stranito dai movimenti studenteschi, dalla rivolta dei Campus contro i generali che sacrificavano le vite dei giovani per ideali non condivisi, dalla libertà sessuale e dalla minigonna di Mary Quant, simbolo della *Swinging London*, la Londra della rivoluzione culturale, sostenuta soprattutto dai giovani amanti del piacere e pieni di ottimismo del Regno Unito.

Con questo sfondo, nasceva l'idea di *Fumo di Londra*, un progetto ancora abbastanza grezzo, un po' come era stato quello de *Il diavolo*, ma forte dell'esperienza accumulata in Svezia durante quelle riprese.

Un anno prima della rescissione del contratto con De Laurentiis, nel 1964, Alberto aveva provato a convincerlo che girare nella capitale inglese una storia moderna sarebbe stato sicuramente un successo. Non l'avesse mai detto. Dino si era incaponito, anzi gli aveva gridato «Sei matto!» aggiungendo che aveva già messo in cantiere un nuovo film, *Il disco volante*, per la regia di Tinto Brass. «Io non mi posso rovinare!» aveva anche aggiunto a ogni buon conto e Alberto, *obtorto collo*, aveva dovuto accettare il diktat del produttore.

Tre belle e brave attrici lo aspettavano, Silvana Mangano, Eleonora Rossi Drago e Monica Vitti, al suo primo ruolo brillante, che in seguito sarebbe diventata la partner ideale di Alberto in tanti altri film. La trama prendeva spunto dalla fantascienza, uno sbarco di extraterrestri nel Veneto, e Sordi interpretava personaggi eterogenei: il prete ubriaco, il brigadiere tonto, il conte gay e, naturalmente, il piccolo borghese un po' meschino. «Tutti personaggi zozzi» li aveva definiti Alberto, invelenito contro la prepotenza di De Laurentiis. Il giovane Brass era all'esordio, ma prometteva bene se aveva insistito con Sonego per mettere in bocca alla Vitti, protagonista di *L'avventura*, vessillo degli intellettuali firmato da Antonioni, maestro dell'incomunicabilità, la battuta non difficile da disambiguare, «*Dime porca che me piase de più*».

Come in una favola in cui il principe prima di conquistare la sua bella doveva superare l'ordalia di ostacoli, Alberto Sordi prima di giungere all'agognata meta di dirigere un suo film, dovette girarne ancora parecchi. Anche se il suo patrimonio cresceva esponenzialmente, i soldi da soli, che pure adorava, non riuscivano a placare la sua ambizione. Nel 1965 i titoli si susseguirono, a cominciare da *Quei temerari sulle macchine volanti*, in De Luxe Color, in cui Alberto nel ruolo del conte Emilio Ponticelli recitava accanto agli attori più noti del momento, Tony Curtis, Jean-Pierre Cassel – padre di Vincent, l'ex marito di Monica Bellucci –, Sarah Miles. Il più noto divenne *I complessi*, in cui Alberto si esibiva nel terzo episodio, per la regia di Luigi Filippo D'Amico, dando il meglio di sé nel gigionesco ruolo dell'invincibile Guglielmo il Dentone. Afflitto da una dentatura mostruosa, ma esaltato nel contempo dal suo infinito narcisismo e ottima cultura, conoscitore di otto lingue, compresi l'ebraico, il tedesco, il fiammingo e l'arabo, Guglielmo Bertone si presentava, unico non raccomandato, a un concorso per annunciatori tv del telegiornale. Facile predire che non avrebbe passato il provino per i dentoni da cavallo, ma si era dimostrato così bravo e disinvolto da rendere impossibile la sua bocciatura. Metafora di come fosse possibile infrangere i tabù degli intellettuali con la puzza sotto il naso, l'ultimo lazzo del Grande Buffone senza complessi era uscire dal piazzale della Rai di via Teulada a braccetto delle gemelle Kessler, il sogno proibito di tutti gli italiani.

Seguivano *Thrilling* di Ettore Scola, Carlo Lizzani e Gian Luigi Polidoro e *Made in Italy*, di Nanni Loy, in cui Alberto nei panni di Silvio, il marito errante, sorpreso dalla moglie a letto con l'amante, riusciva a rovesciare la situazione imbarazzante.

Come in una nascita si deve tagliare il cordone ombelicale, Alberto sublimò il distacco dal contratto in esclusiva con il produttore Dino De Laurentiis, che segnava la sua rinascita in solitario, con il taglio da chi rappresentava il passato. La prima vittima dell'epurazione fu il fido segretario tuttofare, Gastone Bettanini, l'uomo che viveva in simbiosi con lui e il suo lavoro, che quando doveva rappresentare Alberto, usava il plurale, non il *nos maiestatis*, ma per indicare che erano diventati una sorta di gemelli siamesi. Bettanini era l'uomo discreto che toglieva le castagne dal fuoco, come quando comunicò ai genitori della fidanzata austriaca di Alberto, Uta Franzmair, scomparsa nel 2012, nove anni dopo l'attore: «Noi non possiamo sposarci». Dal 1953 Bettanini e Sordi erano stati tutt'uno, poi dal gennaio del 1965, Alberto si staccò da Gastone senza ragioni chiare per gli estranei. Anche Rodolfo Sonego dopo *Il diavolo* non gli dava più affidamento e Alberto cominciò a frequentare un nome noto e apprezzato, lo sceneggiatore Sergio Amidei. Il fratello, l'ingegnere Pino Sordi, sostituì Bettanini come amministratore. Così attrezzato, era arrivato il momento di fare il grande salto, dirigere se stesso. Dato che si faceva un mazzo da vent'anni, Alberto non sopportava i giovani registi che avevano fatto da assistente a quelli famosi, vedi Antonioni o Visconti, e gli intellettuali che dichiaravano di fare i film non per il pubblico, ma per se stessi.

E aveva ragione. Era arrivato il tempo di *Fumo di Londra*.

Addio my darling
Good bye my love
Anche se parti da me
Il nostro breve incontro
Non scordo più
E non scordarlo nemmeno tu.
Meraviglioso
Tu sei per me
Io penserò sempre a te
e al nostro breve amore
alla felicità
che, se ritornerai, ritornerà

La voce meravigliosa di Mina cantava *Breve amore* con la musica di Piero Piccioni, autore della colonna sonora di *Fumo di Londra*, dando un'anima al testo, che tautologico com'era, affermava più volte il concetto di un amore breve comprensivo di letto e di addio. A ispirarla era stata l'inglesina nemmeno ventenne che Alberto aveva conosciuto a Londra quando l'aveva sottoposta al provino per il film che finalmente avrebbe girato nella capitale inglese. *You never told me how much you care*, non mi hai mai detto quanto t'importava, ribadiva nel testo inglese che fa da sottofondo ai titoli di testa del film la cantante Julie Rogers. Ed era deliziosamente giovane, spregiudicata e dolce come il miele Elizabeth, la ragazza che riuscì a regalare una piccola eternità al breve amore nato nella *Swinging London*. Un'estate felice per Alberto che gli ispirò la canzone portata al successo da Mina a Studio Uno sul primo canale tv della Rai. Lo ha confermato Igor Righetti, il giornalista conduttore de *Il Comuni-Cattivo* dal 2003 su Rai Radio Uno nonché pronipote di Alberto da parte della mamma Maria. Igor ha raccontato che alcune relazioni di Alberto le ha scoperte attraverso i racconti del nonno Primo, fratello di mamma Maria Righetti, e del padre Alessandro. D'altra parte, Igor conserva qualche dubbio sulla love story tra il prozio e la principessa Soraya, giudicandola improbabile.

Torniamo al 1965, a quell'estate feconda di creatività e di amori, che Alberto trascorse anche tra le braccia della celebre attrice Shirley MacLaine, sorella dell'attore ex playboy ed ex bellissimo Warren Beatty. Il 26 luglio Shirley con Peter Ustinov e Richard Crenna aveva sfilato sul tappeto rosso a Londra per presentare il film *John Goldfarb, Please Come Home!*, diretto da J. Lee Thompson. Era la storia di una giornalista intraprendente, Jenny Ericson, impegnata a scrivere un articolo sull'harem dello sceicco, che doveva risolvere il giallo della cacciata dell'ambasciatore americano da un fantomatico Paese arabo. Il titolo italiano era *A braccia aperte*, e mai come nel caso della diva e di Alberto si rivelò più adatto.

La trama di *Fumo di Londra* raccontava dell'antiquario di Perugia Dante Fontana che andava in vacanza in Inghilterra, e come ogni straniero veniva a contatto con gli aspetti tipici e tradizionali. Travestito da londinese della City, in doppio-petto color "fumo di Londra", fiore rosso all'occhiello, e, *of course*, bombetta e ombrello, ospitato nel castello di una matrona interessata alle opere d'arte, lo colpivano la caccia alla volpe e, soprattutto, le ragazze libere e belle come Elizabeth. La produzione era della Fono Roma e al posto di Sonego, Sergio Amidei, già sceneggiatore dei gloriosi *Roma città aperta* e *Sciuscià*, collaborava con Sordi al soggetto e alla sceneggiatura. Gli altri interpreti erano Fiona Lewis, ribattezzata Elizabeth in omaggio alla giovanissima amante di Alberto, e ancora Clara Bindi, Amy Dalby e Alfredo Marchetti, nei panni del conte Bolla. La fotografia era di Benito Frattari. Alberto voleva il meglio e perciò il film era a colori e in Tecnoscope.

La critica fu tiepida, gli incassi abbastanza interessanti, mentre per la sua interpretazione fu premiato come migliore attore protagonista con il David di Donatello 1966.

L'opera prima era nata e battezzata e Alberto finalmente avrebbe potuto dirigere i soggetti che gli piacevano di più, pronto a diventare l'indimenticabile mentore dei vizi, tanti, e delle virtù, meno, dell'italiano medio.

23

Donne e robot

Se la Marianne di Bergman era trafitta dall'amaro rimpianto di non aver mai amato nessuno, Alberto si consolava con la certezza che almeno una donna lui l'aveva amata tantissimo, riamato da lei. E quel ricordo, per decenni, aveva reso Alberto ancora più incapace di volere accanto a sé una figura femminile e di accettare la prova suprema: l'impegno matrimoniale che comportava l'incubo di quel "per sempre" che lo terrorizzava. Quando però l'età aveva aggiunto saggezza e tolto tante paure, non temeva di guardare in se stesso e di dirlo apertamente. Lo fece davanti al pubblico televisivo nel 2000, a ottant'anni compiuti, senza dimostrarlo, con la bella faccia non ancora scavata dalla malattia e il sorriso aperto di sempre. Seduto nel salotto di Paolo Limiti, l'autore scomparso nel 2017, non esitò a confessare che l'unica donna che aveva veramente amato era stata Andreina Pagnani. Per rafforzare le sue parole, si sentì in dovere di affrontare l'incredulità di chi lo ascoltava aggiungendo che quello che aveva detto «era sul serio, non era uno scherzo». Al contrario di quanto si credeva, e cioè che si fossero messi insieme durante il doppiaggio di *Il giardino di Allah* in cui la Pagnani doppiava Marlene Dietrich, Alberto raccontò che Andreina il primo passo l'aveva fatto andando a complimentarsi con lui dopo averlo visto in *Za-Bum* al teatro Quirino. «Bravo!» gli aveva detto e da allora Alberto, a cavallo della sua bicicletta con cui percorreva il tunnel per arrivare a via del Tritone dove abitava l'attrice, le aveva fatto la posta finché lei non aveva ceduto. Il sorriso e l'eleganza della bravissima interprete teatrale avevano superato la barriera della differenza d'età, quei quattordici anni maledetti che separavano un ragazzo di ventidue anni da una diva di trentasei. Alberto era scapolo e lei vedova dal 1933 e nulla avrebbe impedito le nozze, ma il destino (anche se noi sappiamo che furono soprattutto le due personalità d'acciaio messe insieme a decidere di non fare quel passo) aveva voluto diversamente.

«Le dissi: "Sono molto innamorato!" e fu l'unica donna a cui chiesi di sposarmi» confessò Alberto a Limiti abbassando il tono della voce con lo sguardo perso sullo scorrere di fotogrammi immaginari su uno schermo che vedeva solo lui, brandelli intrisi di nostalgia strappati ai ricordi di un grande amore. Era sincero e il piccolo groppo alla gola da attore consumato lo seppe ben dissimulare.

Partner femminili di grande spessore sono state a lungo compagne d'arte di Alberto, compresa quella più amata dal pubblico, la grande Monica Vitti. Di Silvana Mangano si favoleggiò a lungo. Dotata di un fascino unico, come abbiamo già detto, Alberto era stato il suo devoto amico, innamorato non corrisposto, anche se per rispetto – e paura – del marito, il potente produttore Dino De Laurentiis, non si era mai fatto avanti ufficialmente, riservando le sue profferte amorose nei momenti e nei luoghi più propizi. Silvana era una donna piena di mistero, una Circe introversa e depressa che aveva colpito a modo suo anche Pier Paolo Pasolini, il poeta e scrittore che avrebbe fatto innamorare Maria Callas. L'aveva voluta in *Teorema*, un'opera di cui era regista e autore del soggetto e della sceneggiatura. Raccontava dell'arrivo di un vaggiatore in una famiglia, di cui seduceva la madre Lucia, interpretata dalla Mangano, la figlia, il figlio. Quando il viaggiatore ripartiva, la madre si prostituiva, il figlio abbandonava la casa, la figlia diventava catatonica e il padre, lasciata la sua officina agli operai, impazziva e se ne andava via nudo, metafora dello spogliarsi delle convenzioni e dei pregiudizi, per perdersi in un deserto. Laura Betti era la domestica che alla fine levitava come una santa. I rapporti sessuali e intellettuali del viaggiatore inducevano i membri della famiglia a prendere coscienza della propria natura e della caducità e vanità delle loro esistenze. Il film aveva suscitato violente polemiche, dividendo i cattolici tradizionalisti da quelli d'avanguardia, un giudizio dicotomico di un Pasolini diavolo o acqua santa.

Nella lunga lettera aperta pubblicata su *Tempo Illustrato* del 16 novembre 1968, che l'intellettuale omosessuale, deluso e arrabbiato per le critiche e per agli attacchi al film *Teorema* sequestrato per oscenità, scrisse a Silvana, descriveva "amaro" il potere segreto dell'attrice, ma spiegava pure con la sua icastica vena poetica quale fosse il mistero che aveva affascinato profondamente Alberto Sordi.

Ecco l'incipit:
Cara Silvana,
è tanto che ti devo una lettera. Una lettera, se non un "mazzo di magnifiche rose". Invece di scrivertela privatamente, te la scrivo pubblicamente. Ciò pone dei limiti alla confidenza e all'affetto, ma le conferisce, forse, un maggior valore.
È una lettera piena di amarezza. Un'amarezza confusa e im-

precisabile – un disgusto leggero e immenso: che però ti voglio comunicare.

E a proposito della presenza di Silvana nella sua vita e dell'impressione che gli aveva lasciato, continuava così:

...Non mi era difficile contemplare tutti questi aspetti della tua natura – puntualità, senso del dovere, lealtà – mentre lavoravamo insieme nel Marocco, a Roma, a Milano. Ed è tutto questo, strano a dirsi, che produce il mistero della tua bellezza. La tua bellezza amara: che si offre, incombente, come una teofania, uno splendore di perla; mentre in realtà tu sei lontana. Appari dove si crede, dove si lavora, ci si dà da fare; ma sei dove non si crede, non si lavora, non ci si dà da fare. Richiamata qua da un obbligo, che (chissà perché) si ha vivendo, resta la realtà della tua lontananza, come una lastra di vetro tra te e il mondo.

Anche da Alberto Silvana si era separata lentamente interponendo una "lastra di vetro" metaforica, sofferente al primo manifestarsi della sua diversità che emergeva sempre di più, che la allontanava dagli uomini che l'avevano delusa manifestando una violenza non necessariamente fisica e quindi ancora più cogente. Forse era la ferrea personalità dell'uomo che l'aveva sposata diciannovenne, despota in famiglia come sul lavoro, o almeno lei lo vedeva così, non comprendendo fino in fondo, e non condividendo, quanto difficile e irta di ostacoli fosse la scommessa di un produttore cinematografico che a ogni film si giocava credibilità e fortuna. Silvana si era avvicinata alle donne che non la impaurivano, non la disgustavano, non la violentavano nel suo Io più profondo, tanto che negli ultimi tempi della sua esistenza si parlò di una passione lesbica. Silvana Mangano diventava sempre più raffinata, evanescente, scavata, uno "splendore di perla". Così aveva plasmato se stessa, imperiosa e unica, per rendersi sempre più differente dalla prorompente bomba sexy, dea della fertilità e del sesso, che era stata a diciott'anni all'inizio della carriera con *Riso amaro*. Nel suo mondo non poteva entrare la passione che forse le aveva offerto Alberto, c'erano soltanto i suoi figli, la sua lealtà dolorosa al marito, il suo senso del dovere. Come puniva il suo fisico affamandolo con le diete, così Silvana puniva la sua fame d'amore viaggiando lontana da chi glielo offriva.

Restiamo ancora sul rapporto difficile di Alberto con le donne, segnato dalle avventure estemporanee o dalla delusione di non poter realizzare un legame duraturo. Ogni esperienza, però, poteva insegnargli qualcosa di nuovo, suggerirgli una trama da dirigere e di cui scrivere la sceneggiatura. Bastava sapersi guardare intorno e nascevano le idee. Nel 1973 aveva avuto grande successo il romanzo erotico di Erica Jong, *Paura di volare*, con protagonista Isadora Wing, un best seller planetario con decine di milioni di copie vendute che sdoganava la sessualità femminile. Nel 1976 Adrienne Rich aveva scritto *Of woman born*, *Nato di donna*, in cui affrontava la tematica della maternità, che andava sottratta all'autorità patriarcale. Le lotte femministe si facevano sentire e attaccavano la disparità di genere. Alberto, come al solito, era pronto a captare i trend sociologici e uno dei temi che lo intrigavano in quel particolare periodo era appunto lo scontro tra femminismo e maschilismo, che a cascata poteva interessare lo spettatore medio, magari un marito che non sopportava l'ingerenza della moglie e una moglie che rivendicava rispetto e parità. Volle così occuparsi del tema con la genialità visionaria dei grandi artisti e nel 1980 immaginò che a rendere felice un uomo non potesse che essere una donna artificiale, un robot perfetto che avrebbe servito il padrone in piena ubbidienza, docile senza chiacchiere, lamentele e pretese e scocciature femministe. Con il soggetto di Sonego, con cui firmava la sceneggiatura, Sordi diresse *Io e Caterina*, prodotto da Fulvio Lucisano, in cui immaginava di fornire all'intelligenza artificiale la sensibilità e i sentimenti, buoni e cattivi, delle creature umane. Come in altri suoi film, trovato *"lu santu"*, trovava l'inganno: non si accontentava di esaltare i desideri maschili ma, con la logica suffragata dall'esperienza, metteva in guardia dal credere ai sogni. La trama sembra anticipare di venti anni *A.I.*, il film di Spielberg del 2001, con un bambino robot che cercava la mamma umana, e più di trent'anni opere come *Ex machina*, il thriller psicologico del 2015 con il Premio Oscar Alicia Vikander, l'Eva robotica umanizzata, o *Lucy*, la creatura fantascientifica del regista Luc Besson, interpretata dall'attrice Scarlett Johansson, che nel 2017 ha dato vita anche al maggiore Mira Killian, l'organismo cibernetico di *Ghost in the Shell*.

Nel film *Io e Caterina* il robot dalle sembianze femminili, con le vaghe reminiscenze della Macchina M, la dea meccanica e crudele del film di Fritz Lang *Metropolis* scritto da Thea von Harbou, era al servizio di Enrico Melotti, l'uomo d'affari con il volto di Alberto. Stufo delle scocciature procurate dalla moglie, Valeria Valeri, dalla segretaria-amante Catherine Spaak, e dalla domestica Elisa Mainardi, Melotti decide di comprare il robot che aveva visto in America e all'inizio tutto fila liscio. La macchina rassetta, stira, fa tutto meglio di una donna, e per di più non mangia, non dorme e non fa shopping. Caterina, però, è un androide d'avanguardia come i replicanti che affollano *Blade Runner*, con il piccolo difetto di essere gelosa come e più di una umana, pronta a fare disastri se non addirittura a uccidere le rivali che entrano in casa. Così Enrico Melotti se vuole sopravvivere deve assoggettarsi alla femmina meccanica che lo comanderà più di una moglie. Trattandosi di un'intelligenza artificiale con sentimenti umani, con il suo robot Sordi precorreva l'agghiacciante predizione dello scienziato Stephen Hawking secondo il quale nei prossimi cento anni, entro il 2120 quindi, i computer sopravanzeranno gli esseri umani e quando questo accadrà, se vorremo sopravvivere, dovremo accertarci che «i loro obiettivi siano allineati con i nostri». Altrimenti, come immaginava il genio artistico di Alberto Sordi, diventeremo schiavi come Enrico Melotti, della dittatura di tante intelligenze artificiali più pericolose di Caterina.

24

In marcia con Tersilli

Scapolo, vedovo e mantenuto, adultero e magnaccia, il personaggio Sordi era un vero misogino? Oppure trattando nella finzione le donne come oggetti a perdere, voleva fare il ritratto degli uomini che odiano le donne e così li additava al pubblico disprezzo? A ripercorrere l'iter creativo di Alberto Sordi, si può evincere che sfruttando in chiave comica i difetti e i comportamenti maschili più scontati, compiva un'operazione di filosofia morale e non ipocritamente moraleggiante. Nei film degli anni Cinquanta oggi meno conosciuti componeva il ritratto di maschi privi di etica: una volta poteva barattare la moglie Dorian Gray in cambio della raccomandazione a *Il Musichiere* di Mario Riva, il trampolino di lancio dei cantanti. Oppure si prostituiva con una donna matura come in *Souvenir d'Italie*. In quei film l'unica donna a tenergli testa era Franca Valeri che, non essendo la solita bella e oca, era la bruttina e intelligente e perciò più antipatica di lui.

Specchio di un italiano privo di scrupoli, cinico, arrogante, vigliacco, maligno, come l'odioso, indimenticabile, esaminatore di Totò in *Totò e i re di Roma* di Steno, anche in questo non cercare un personaggio positivo per accattivarsi le simpatie del pubblico stava parte della grande intuizione artistica di Alberto Sordi. Una scelta che richiedeva coraggio e determinazione. Aveva faticato a tirarsi su dal flop de *Il giu-*

dizio universale del duo De Sica e Zavattini, in cui, come si ricorderà, non aveva esitato a impersonare un ributtante venditore di bambini. Altro che politically correct, Sordi osava l'inosabile, utile, però, per scavarsi il contraltare ai "simpatici e belli" come Mastroianni. Persino Vittorio Gassman, partito da antipatico e supponente mattatore di teatro, era riuscito a crearsi una maschera più attraente di Sordi, deformando i nobili lineamenti dell'istrionico Kean, che portava in teatro con successo, e la dizione aulica e magniloquente delle sue performance nella balbuzie del pugile suonato. Con la fronte alta due centimetri e il naso sfranto, era il "solito ignoto" Giuseppe Baiocchi, detto Peppe er Pantera. Piccola curiosità: i produttori non si fidavano di una trasformazione così plateale di Vittorio e volevano affidare il ruolo a Sordi, ma Monicelli s'impuntò su Gassman e vinse le loro resistenze. E il botteghino.

Alberto si sentiva ormai in dirittura d'arrivo, il successo universale tanto agognato era lì, a pochi passi, bastava tendere la mano e acchiapparlo senza la fatica degli anni passati. I Mastroianni, Tognazzi, Gassman, Manfredi di turno potevano pascolare quanto volevano, pensava, lui era unico e tale sarebbe rimasto. Dopo *Fumo di Londra*, il marchio Sordi era pronto a vincere ogni ostacolo, da soggettista e regista si trattava solo di individuare le trame vincenti. Se da giovane faceva il verso a Mario Pio e aveva prestato la sua maschera nei film a episodi, era arrivato il momento di fare in grande stile il verso ai tic dell'italiano medio, a partire dal borghesuccio ambizioso e pavido, che voleva salire nella scala sociale ma aveva paura di perdere il poco sicuro faticosamente guadagnato.

Della vasta produzione dei film di Sordi degli anni Sessanta e Settanta, alcuni emergono per i temi caldi ispirati dalla stretta attualità, come le polemiche intorno al divorzio, considerato dalle opposte ideologie strumento di distruzione della sacra istituzione della famiglia o salvezza delle coppie distrutte dal disamore meritevoli della libertà. Nel 1965 il Partito Radicale si mobilitava in concomitanza del progetto di legge per il divorzio del deputato socialista Loris Fortuna. Nonostante l'opposizione della Democrazia Cristiana che sembrava insormontabile, trascorsi altri cinque anni nel 1970 venne approvata la legge Fortuna-Baslini, nata dalla fusione con il progetto sostenuto dal deputato del Partito Liberale Antonio Baslini.

Con la tipica lungimiranza, Alberto, nel 1966, quarantaseienne, scelse di scrivere con Sergio Amidei il soggetto di *Scusi, lei è favorevole o contrario?*, in cui interpretava il commendatore Tullio Conforti, separato dalla moglie e dotato di un appetito sessuale fuori della norma. Spinto dal desiderio di accompagnarsi con la donna perfetta, ne aveva composto un mosaico con tante amanti quanti i giorni della settimana. Nell'affollato cast femminile, spiccavano Giulietta Masina e Anitona Ekberg, ovvero la baronessa Olga, la sempre affascinante Silvana Mangano nei panni di Emanuela, la giunonica Franca Marzi, e, *dulcis in fundo*, la morbida e tenera Laura Antonelli che aveva compiuto ventiquattro anni. Tra tante bellissime, ognuna con una personalità diversa, la prescelta per conviverci sarebbe stata comunque perfetta. E quindi chi più del commendatore Conforti sarebbe stato favorevole al divorzio? E invece se ne guardava bene, e fingendo di esserlo per motivi religiosi, soddisfatto com'era di un *ménage* altro che *à trois*, ma a sei, sette, Tullio diceva no al divorzio per evitare di doversi sposare una delle amanti se per disgrazia fosse tornato allo stato libero. Facendo sorridere le platee, Alberto tratteggiava così la figura del sepolcro imbiancato contrario al divorzio, l'ipocrita furbastro e privo di scrupoli.

Prodotto dalla Fono Roma, con le musiche di Piero Piccioni e la fotografia di Benito Frattari, Alberto era restato fedele ai collaboratori di *Fumo di Londra*, ma anche alle sue idee: essendo contrario al matrimonio perché temeva di perdere la libertà, era ovvio che fosse favorevole al divorzio che la faceva recuperare.

Anche i più giovani, che vedono il film nelle repliche sulle varie reti televisive, riconoscono la marcetta di Esculapio, ovvero la musica che accompagna il professor Guido Tersilli quando si muove in clinica con il bianco corteo dei medici sottoposti, delle suore e delle infermiere mini vestite. Era la colonna sonora del sequel del film *Il medico della mutua*, scritta come sempre dal maestro Piero Piccioni, che aveva un titolo lunghissimo: *Il Prof. Dott. Guido Tersilli primario della Clinica Villa Celeste convenzionata con le mutue"*. Nel 1969 gli fece vincere il David di Donatello e il Globo d'Oro come migliore attore protagonista e nello stesso anno il Nastro d'Argento fu attribuito a Pupella Maggio come migliore attrice non protagonista.

La saga del dottor Tersilli comincia con lui neolaureato che come tutti i giovani medici aspira ad aprirsi uno studio. La madre, una eccezionale Nanda Primavera, è una vedova che ha fatto tanti sacrifici per farlo studiare senza vergognarsi delle ristrettezze piccolo borghesi in cui vivono. In quegli anni lo Stato italiano garantiva l'assistenza sanitaria a tutti i cittadini fondata sull'articolo 32 della Costituzione. Era un sistema sanitario tra i migliori del mondo quanto ad accesso alle cure pubbliche, con cui si tutelava la salute come diritto fondamentale nel rispetto della dignità del cittadino. Ma come recita il vecchio detto, *passata la festa, gabbatu lu santu*, non tutti i medici responsabili della mutua rispettavano la dignità in questione.

La critica sociale contro la categoria medica, che ne annoverava tanti benemeriti, ma accoglieva anche gli sfruttatori dei mutuati che accedevano gratis alle cure sovvenzionate dallo Stato, si fa pungente in un ritratto all'acido del sottobosco e dei primari collusi, che per guadagnare somme ingenti sfruttavano il semplice meccanismo messo in moto dai mutuati stessi che con visite e medicinali gratuiti, potevano chiedere la prescrizione di un numero alto, e spesso inutile, di medicinali. Era evidente il conseguente ricavo per il medico delle relative percentuali, una corruttela di cui si facevano tramite i piazzisti dei medicinali. Non per niente nei panni di uno di loro nel sequel di Tersilli alla clinica Celeste, c'era un giovane Lino Banfi che sperava di lusingare il prof con l'omaggio di un orologio a parete.

Con la regia di Luigi Zampa, la sceneggiatura del primo film del 1968 *Il medico della mutua* era firmata da Sergio Amidei, Sordi e Zampa stesso, tratta dal romanzo di Giuseppe D'Agata, l'ex partigiano e scrittore, autore, tra l'altro, de *Il segno del comando*, Rusconi Editore, 1987, che fu tradotto con immenso successo in uno sceneggiato televisivo diretto da Daniele D'Anza nel 1971, l'anno in cui Alberto registrò a *Canzonissima* l'indimenticabile e malizioso *Tuca tuca* con una giovane Raffaella Carrà. Narrava dell'arrampicata di Tersilli che in una clinica si accattivava con il suo servilismo la benevolenza del primario e delle suore infermiere. Tersilli arrivava a corteggiare la futura vedova del dottor Bui che aveva raggiunto nella sua lunga carriera un numero spropositato di mutuati, ben 2300. La donna è Bice Valori che accetta la corte, ma se a diventare vedova impiega non poco, nel frattempo convince il marito a passare a Tersilli i suoi mutuati. L'avidità punisce Alberto che compulsivo visita un paziente – ormai sono 3000 – ogni 5 minuti e ha un collasso. Viene ricoverato nella clinica dove si è fatto tanti nemici e sfugge per miracolo alle insidie dei colleghi che vorrebbero approfittare della sua debolezza per appropriarsi dei suoi mutuati.

Corruzione, sfruttamento e raccomandati incompetenti, che bella congrega. Se Alberto si fosse reincarnato in un nuovo autore e regista, anche oggi, dalla politica, non tutta, alle università, non tutte, avrebbe un materiale eterogeneo a cui attingere per le sue denunce sociali.

Il film ebbe tanto successo da indurre Sordi a farne il seguito. Il soggetto e la sceneggiatura questa volta erano di Sergio Amidei, Sordi e del regista stesso, Luciano Salce. Acchittato, impomatato e ancora più cinico e baro, il professor Tersilli, raccomandato di ferro che con gli intrallazzi si è procurato la libera docenza, lavora nella lussuosa clinica del suocero, sfrutta i ricchi e caccia i mutuati poveri, corteggia le donne imparentate con i suoi pazienti e le ricatta per portarsele a letto promettendo di curarli meglio. Sordi, però, sapeva anche far ridere, nonostante la storia descrivesse tante miserie umane. Abbandonato dai collaboratori ormai sfiniti dalla sua avida arroganza, Tersilli ha un rigurgito morale e pensa di tornare a essere un medico onesto, ma con l'apparizione finale della madre rifatta in una clinica svizzera, che per quanto è tirata, riesce a stento a parlare, il professore capisce che il futuro è nella chirurgia estetica. Giovani e belle per sempre, sarà lo slogan che gli farà impinguare ancora di più le tasche.

Quanti spettatori avranno riconosciuto nel ritratto di Tersilli il marcio di una certa sanità. Si arricchiva così la collezione di Sordi, l'autore dei ritratti, dei fatti e dei misfatti dell'italiano medio.

25

Monica, la moglie dello schermo

Il 1976 è l'anno di un piccolo gioiello, considerato dalla critica un block buster popolare e non, ovviamente, un'operetta morale. Era *Il comune senso del pudore*, film in quattro episodi in cui Alberto Sordi, regista, soggettista e sceneggiatore con Rodolfo Sonego, riversava tutto il suo distacco critico dall'evoluzione del costume e dalle mode intellettualistiche del tempo, che avevano sdoganato l'erotismo fino al soft porn senza censure. L'alter ego di Sordi era l'operaio Giacinto Colonna, dotato dal destino di un lavoro dignitoso ma poco remunerato e un cognome nobiliare foriero di equivoci. Il film ebbe successo anche grazie alla presenza della mansueta Erminia, l'archetipo della moglie buzzicona come Augusta, interpretata da Anna Longhi, che sarà la consorte del fruttivendolo Remo Proietti, ovvero Sordi, la coppia protagonista dell'episodio *Le vacanze intelligenti* del film del 1978 *Dove vai in vacanza?*, che prende di mira la moda di visitare nei giorni delle ferie i musei e i vari luoghi d'arte invece di andare al mare, magari a Ostia. Nel primo episodio di *Il comune senso del pudore* Giacinto decide di festeggiare le nozze d'argento portando Erminia al cinema, che non frequentano da tempo immemore. Le peregrinazioni da una sala cinematografica all'altra segnano la scoperta che non c'è film che non sfiori la pornografia e al finale Erminia si adatta e ne viene "contagiata" con grande scorno di Giacinto. A interpretarla è Rossana Di Lorenzo, sorella di Maurizio Arena, il "povero ma bello" scomparso nel 1979, che nel corso della carriera ha dimostrato di essere quasi più brava del famoso fratello.

Il quarto episodio di *Il comune senso del pudore* s'impernia sulle ambasce di un'attrice famosa, Ingrid Streissberg, pluripremiata con gli Oscar, che s'interroga se accettare o meno la sceneggiatura del film *Lady Chatterley* in cui il cinico produttore prostrato dall'incubo di fallire, un geniale Philippe Noiret che parla napoletano doppiato da Carlo Giuffré, pretende che per ragioni di cassetta si assoggetti a un vero coito anale. «Se è arte, allora io faccio» dice con accento *"tetesco di Cermania"* la bellissima berlinese Dagmar Lassander che la interpreta, ma prima di arrivare al fatidico ciak, si deve riunire un consesso di esperti che confermi che la scena del coito sia "arte", che s'ispira a quello vero che fece assolvere dall'accusa di oscenità *Lady Chatterley* di D.H. Lawrence. Nel 1960 erano 35 i testimoni di alto livello che giurarono davanti alla corte inglese di essere convinti che il romanzo fosse un'opera d'arte: oltre al professore Richard Hoggart, anche il vescovo anglicano di Woolwich, John Robinson, che affermò che *Lady Chatterley* era un romanzo che «tutti i cristiani dovevano leggere». Nella finzione facevano parte del consesso convocato per decidere se fosse un'opera d'arte, un vescovo di larghe vedute, uno psicologo, il "critico" Ugo Gregoretti e persino Marina Cicogna, una consulente. Dopo un lungo dibattito tutti decidono che la sceneggiatura è vera arte e Dagmar in un tripudio di veli si abbatte sul prato donandosi generosamente al guardacaccia.

Sordi continuava il suo percorso di autore ribadendo uno stile proprio: si proponeva di far ridere, e quindi di non tradire il suo pubblico e il botteghino, mettendo alla berlina gli eventuali eccessi del tempo, il classico *castigat ridendo mores* del poeta latinista Jean-Baptiste de Santeuil, detto Santolius. Interpretava quindi il buon senso popolare che assomigliava più a quello delle sorelle trasteverine che a quello degli intellettuali esterofili. Quindici anni prima di *Il comune senso del pudore*, dopo aver concluso da poco *Fumo di Londra*, si era chiesto se era davvero un passo da gigante verso la libertà tutto quell'essere "moderni", quell'allentare i freni della vecchia morale celebrando la promiscuità sessuale. Uno con cui confrontarsi, oltre i suoi stretti collaboratori, era proprio Ugo Gregoretti, il critico sussiegoso dell'episodio *Lady Chatterley*. Amico da lungo tempo di Alberto, aveva dieci anni meno di lui. Giornalista, attore e regista, ma soprattutto drammaturgo e intellettuale raffinato, attivo al 2017 con la regia di *Io, il tubo e la pizza*, con la sua ironia e le molteplici attività era fonte d'ispirazione e di ammirazione da parte di Alberto, che ambiva a raffinarsi e contava proprio sull'amicizia e sullo scambio intellettuale con Gregoretti per approfondire le sue intuizioni artistiche. Nel film del 1968 di Ettore Scola, Age e Scarpelli dal titolo chilometrico *Riusciranno i nostri eroi a ritrovare l'amico misteriosamente scomparso in Africa?* con Nino Manfredi, Sordi aveva ammiccato ai soloni dell'intellighenzia critica, che tendevano a considerarlo un cineasta di serie B, con la colta citazione di *Cuore di tenebra* di Joseph Conrad a cui alla lontana era ispirata la trama. Ma a prescindere dalle piccole, intime, soddisfazioni, Alberto voleva buttarsi ancora una volta nella costruzione di un'opera cinematografica completa. Voleva curare il soggetto, la sceneggiatura e la regia, così discusse della trama con Gregoretti e poi gli chiese di interpretarlo. Era un film drammatico

173

in cui credeva molto, *Amore mio aiutami*, in cui avrebbe affrontato le ragioni del cuore filtrate attraverso la lente deformante del trend del momento che le considerava patetiche e retrive. Il personaggio di Gregoretti, che segna il suo esordio di attore, era quello di Michele Parodi, a cui Alberto diede come moglie con il nome di Danila, Mariolina Cannuli, in quegli anni una delle signorine buonasera più ammirate per la carica sensuale con cui faceva gli annunci Rai, resa ancora più popolare attraverso l'imitazione di Alighiero Noschese. Protagonisti del film erano Alberto, Giovanni Machiavelli, e Monica Vitti, la moglie Raffaella. Il soggetto era di Rodolfo Sonego, Alberto Sordi e Tullio Pinelli, la sceneggiatura di Sonego, Pinelli e Sordi, la regia di Sordi, il produttore Hecht Lucari. A fotografare era Carlo Di Palma, il compagno di Monica.

Era il 1969 e il 4 aprile Denton Cooley impiantava il primo cuore artificiale e il 21 luglio Buzz Aldrin e Neil Armstrong sbarcavano sulla Luna. Tutto poteva succedere, il futuro era già qui, ma per Alberto i sentimenti umani erano quelli di sempre, amore, tradimento, gelosia, sofferenza. Alberto sapeva che Monica sarebbe stata il suo asso nella manica, l'unica attrice che poteva competere per bravura con lui e anche se non se ne innamorò mai, l'adorò come partner sul set. Era una donna forte, che in fondo gli faceva un po' paura, dotata di una eccezionale personalità artistica, allieva del maestro Antonioni, con cui aveva esordito come musa degli incomunicabili, che poi aveva dimostrato una straordinaria vis comica. Monica per un regista era come uno strumento polifonico, poteva esprimere una varietà di sentimenti contrastanti, proprio come nel film il personaggio di Raffaella, la bella signora borghese, fragile, testarda e capricciosa, da die-

ci anni sposata con Giovanni, pronto ad aprirsi al nuovo costume senza censure come uomo e marito, che accettava la
coppia aperta. Raffaella era amante della musica da camera e
frequentava i concerti con la madre, interpretata da Laura
Adani, attrice impegnata di teatro come lo era stata Andreina Pagnani, che, come lei, non disdegnava di affacciarsi sul
grande schermo. Proprio durante un concerto Raffaella conosce un bell'uomo affascinante, Valerio Mantovani, con il
volto macho e tenebroso di Silvano Tranquilli. Raffaella perde letteralmente la testa. La passione e l'attrazione la scon-
volgono, il cuore e il ventre sono improvvisi schiavi dell'uomo che ha solo intravisto. C'è soltanto una persona che può
aiutarla a sopravvivere all'uragano che l'annienta ed è il marito, lucido, razionale, moderno. E innamorato della moglie.
L'orgoglio, però, impedisce al direttore di banca Giovanni
Macchiavelli di esternare la sua gelosia e, coinvolto dalla moglie, mostra la sua comprensione e promette il suo appoggio,
pur facendo di tutto per intralciare la possibile relazione della moglie con il Mantovani. La donna è un carattere debole,
nevrotico, infantile. Abituata a vedere soddisfatti i suoi inno-
centi capriccetti dal marito, crede che anche quell'improvvi-
sa passione che la sconvolge può essere sostenuta da Giovanni, ma si sbaglia e arriveranno alla rottura. Dopo numerosi bocconi amari, Giovanni si sveglia dal suo ritenersi "moderno" e comprensivo e in una memorabile sequenza, politically scorretta, prende a calci e ceffoni Raffaella che invano
cerca di sfuggirgli lungo le dune della spiaggia di Sabaudia;
evocazione in chiave ironica dello scenario della spiaggia di
Budelli nel film *Deserto rosso*, di Antonioni, di cui Monica
era stata protagonista. Le botte alla controfigura alta e im-
parruccata come Monica, che era la giovane Fiorella Man-

noia, in un certo senso fanno rinsavire i coniugi che si separano. Finché su una nave da crociera si ritroveranno, Giovanni, sempre innamorato e deluso, che può riscattarsi a prezzo della solitudine, e Raffaella, sempre incerta e fragile di testa e di sentimenti. Grottesco e patetico fu definito il personaggio di Alberto, bene accolto finalmente anche dalla critica.

Non tutti sanno che i suoi primi otto anni Maria Luisa Ceciarelli, doppiatrice del personaggio di Ascenza in *Accattone* di Pier Paolo Pasolini, nata il 3 novembre 1931 da padre romano e madre bolognese, che di cognome faceva Vittiglia, li abbia vissuti a Messina e che il titolo del suo libro *Sette sottane* fosse la traduzione del dialettale *"setti vistìni"* come la chiamavano perché aveva sempre freddo e si vestiva a strati con tanti vestitini. Se all'inizio di carriera qualcuno avesse dubitato del suo talento, non sapeva che aveva esordito a teatro nei panni di una donna di quarantacinque anni quando ne aveva soltanto quattordici. Il dramma era *La Nemica* di Nicodemi e il ruolo quello di una madre che perde il figlio caduto in guerra; una prova non semplice che Maria Luisa superò in modo ammirevole. Ceciarelli, però, era un cognome poco adatto al glamour del mondo dello spettacolo, perciò la ragazza seguì la moda del tempo, consigliata dal suo professore all'Accademia nazionale d'arte drammatica diretta da Silvio D'amico. Fu Sergio Tofano, infatti, il famoso Sto delle avventure del Signor Bonaventura, a farle capire che fosse meglio cambiarsi il cognome e lei scelse Vitti, tagliando quello della madre, e si cambiò il nome in Monica. Proprio come aveva fatto Sofia Scicolone a cui suggerirono il cognome Loren perché l'attrice Marta Toren, al tempo, era molto famosa. Solo la Lollobrigida si era impuntata e non volle cambiarselo, nonostante fosse troppo lungo e difficile da pronunziare all'estero e nonostante si fosse fatta chiamare Diana Loris quando posava per i fotoromanzi.

Monica Vitti era una donna bellissima, alta, gambe da urlo, un volto di grande personalità, la voce scura inconfondibile, e divenne la protagonista acclamata delle commedie all'italiana, che interpretava con grande senso dell'ironia. Aveva lasciato il segno con *La ragazza con la pistola*, la storia di una disonorata che cerca di lavare l'offesa con il sangue, ma poi scopre quanto sia diversa la condizione femminile in Inghilterra, così lontana non solo geograficamente dalla Sicilia. Nel periodo d'oro del cinema italiano diede vita ad altre commedie tinte d'amaro come *Dramma della gelosia. Tutti i particolari in cronaca* del 1970, regia di Ettore Scola, con Mastroianni e Giannini. A fianco di Alberto resta memorabile il cult *Polvere di stelle*, del 1973, soggetto di Maccari e regia di Sordi, intriso di una volgarità grottesca che si sublima nella bravura dei due protagonisti e non li scalfisce, rispettivamente Mimmo Adami, capocomico, e Dea Dani, prima soubrette di una compagnia di giro scalcagnata e sempre affamata, reminiscenza dei primi passi di Alberto a Milano. «*Ma'n dov'Hawaii se la banana non ce l'hai*» cantavano i due: Alberto, che era l'autore della canzonetta, con la maglietta da marinaio e il belletto sulle gote, e Monica con le gambe in mostra e i riccioli platinati, accompagnandosi con ammiccamenti e mosse allusive, divertendosi loro per primi e divertendo il pubblico nelle sale d'Italia.

Dovevano trascorrere altri anni per arrivare nel 1982 a una nuova prova attoriale insieme: era *Io so che tu sai che io so*, una storia firmata da Sordi, Sonego e Tullio Pinelli, anche produttore del film, e la regia di Alberto. Sordi aveva sessantadue anni, portati con grande baldanza, ed era nel pieno della maturità artistica. Con grande profondità riusciva a impersonare tutte le sfumature dei sentimenti che rallegravano o straziavano il personaggio di Fabio Bonetti, funzionario di banca, marito della traduttrice Livia, la moglie perfetta e trascurata per le partite di calcio, padre dell'adolescente Veronica, tossicodipendente a sua insaputa, e amante della collega d'ufficio Valeria, interpretata da Ivana Monti. Per un equivoco banale, uno scambio di persona da parte di un'agenzia investigativa incaricata dal marito di pedinare giorno e notte e di filmare la bionda signora Vitali che vive all'ultimo piano dello stesso stabile dei Bonetti, per varie settimane Livia viene filmata e intercettata. Quando il faccendiere Vitali si suicida a Londra, le bobine dei filmati diventano scottanti, ma prima di decidere che cosa farsene, Alberto li visiona e scopre tutto: il tradimento di una sola volta di Livia, che lui trascura sessualmente, la tossicodipendenza della figlia, che la madre ha aiutato senza informarlo, e la complicità tra la moglie e l'amante, a cui Livia chiede di stargli vicino quando resterà solo, dato che ha intenzione di trasferirsi a Milano. Fabio Bonetti apre gli occhi sulla sua vita e capisce i suoi sbagli. Il finale è consolatorio, lui e Livia torneranno insieme più uniti di prima.

C'è una battuta, però, nel film che fa rabbrividire: l'avvocato Ronconi, interpretato da Claudio Gora, consiglia Alberto di tacere e distruggere la valigia con le bobine per non allargare lo scandalo degli intrallazzi dei faccendieri e dei politici corrotti, culminati con il suicidio di Vitali, affermando che tanto «nessuno ha le mani pulite».

Come se Sordi dieci anni prima avesse già previsto lo scandalo di Tangentopoli sulle corruttele politiche e le inchieste di Mani Pulite del 1992. Del resto, con *Tutti dentro* del 1984 di Alberto Sordi, con Joe Pesci e Dalila Di Lazzaro, soggetto e sceneggiatura di Sonego, Sordi e Augusto Caminito, il personaggio del giudice inflessibile Annibale Salvemini incrimina politici, faccendieri, politici e bancari, un'enorme rete di corruttele dei vari potentati proprio come accadde con le inchieste di Mani Pulite, anche se il giudice zelante pagherà la sua debolezza verso le donne e un'amicizia che suscita sospetti e sarà inquisito e messo anche lui sulla graticola.

Quando molti anni dopo scoppiò Tangentopoli, molti giornalisti chiesero a Sonego come lui e Sordi avessero avuto tanta preveggenza: conoscevano già alcuni corrotti? Lui rispose che mentre stendevano la sceneggiatura, già sfilavano tanti in manette, rendendo l'invenzione sempre più simile alla realtà. Disse che era già stato rivelato lo scandalo della P2 e che a preoccuparlo era solo «il regime del terrore continuo».

26

Quel pasticciaccio dell'eredità

Paradosso tipico della vita: a far considerare Alberto all'unanimità dalla critica un grande attore drammatico – lui che richiamava al cinema il pubblico che voleva ridere – fu un film del 1977 dissacrante e triste, firmato da Mario Monicelli, *Un borghese piccolo piccolo*, tratto dal romanzo di Vincenzo Cerami. Nel 1975 Alberto era stato tentato da un soggetto antiamericano di Sergio Amidei, in cui sfruttando la sua somiglianza, accentuata da un paio di occhiali cerchiati di nero, con il potentissimo segretario di Stato Henry Kissinger, ne avrebbe fatto il verso. Ma poi non ne fece nulla. Come se gli anni trascorsi a battagliare con il botteghino, a posare con un largo sorriso, ad accumulare soldi e successo fossero arrivati a un punto di non ritorno, a cinquantasette anni Sordi si strappò la maschera *ridens* e Monicelli con lui. La ragione di sovvertire la rotta artistica non risiedeva però nell'età matura dei due protagonisti dello spettacolo, intristiti dall'approssimarsi della vecchiaia, ma nei tempi che stavano inesorabilmente cambiando. La leggerezza dei film sui tic della società appariva sorpassata dalla pesantezza della realtà quotidiana, trascinando con sé la forza dell'irrisione, quindi non poteva più esistere la complicità con i vizi degli italiani. La sceneggiatura di *Un borghese piccolo piccolo* era di Sergio Amidei e dello stesso Monicelli e sempre nel 1977 si meritò cinque David di Donatello e quattro Nastri d'Argento, che premiarono tutto, film, regista, sceneggiatori e, naturalmente, i protagonisti, primo tra tutti Alberto Sordi.

In Italia erano gli anni insanguinati dalle Brigate Rosse, nate nel 1970, che proprio nello scorcio del decennio effettuavano un'escalation degli atti terroristici. Nel '77 le Brigate Comuniste Combattenti avevano ucciso l'avvocato Fulvio Croce, il Presidente dell'ordine degli Avvocati di Torino, che doveva designare la difesa di Renato Curcio, tra i fondatori delle Brigate Rosse. Avevano gambizzato mentre si dirigevano a piedi al lavoro, il direttore del Tg1 Emilio Rossi verso via Teulada a Roma e Indro Montanelli verso piazza Cavour a Milano. La Banda della Comasina all'inizio dell'anno aveva ucciso due agenti della polizia stradale, poi i cittadini onesti avevano tirato un sospiro di sollievo all'arresto di Renato Vallanzasca e Francis Turatello, autori di rapine, sequestri e omicidi, ma le sparatorie continuavano a ferire gravemente o a uccidere per strada, come a piazza Igea a Roma, tre dei cinque colpi sparati da un'auto avevano colpito un'attivista di sinistra, Elena Pacinelli e il giorno dopo veniva ucciso dai neofascisti durante un volantinaggio il militante Walter Rossi. Poi nella manifestazione di protesta per l'omicidio di Rossi a Torino venivano fatte esplodere bombe molotov e lo scoppio ammazzava lo studente Roberto Crescenzio. Le Brigate Rosse ferivano anche Publio Fiori e uccidevano il vicedirettore de *La Stampa* Carlo Casalegno. Il clima era sempre peggiore e i cittadini avevano paura di uscire di casa e di trovarsi coinvolti in qualche attacco e perdere la vita. Molti andavano in giro con la pistola, memori dell'esempio dell'Ispettore Callaghan con la faccia di Clint Eastwood che nei film di cassetta di qualche anno prima aveva insegnato a difendersi e a punire i colpevoli con una Magnum 44.

Nel film di Monicelli, simbolo della trasformazione della società, il protagonista era Giovanni Vivaldi, il borghese piccolo piccolo impiegato in un ufficio ministeriale di Roma, ormai vicino alla pensione, che riponeva tutte le sue speranze di riscatto in Mario, il figlio ragioniere, a cui prestava il volto il sensibile Vincenzo Crocitti. A interpretare la moglie Amalia Vivaldi, Monicelli aveva chiamato la brava americana Shelley Winters, improbabile interprete della saponificatrice di Correggio Leonarda Cianciulli nel film *Gran Bollito* dello stesso 1977, che d'italiano poteva vantare l'ex marito Vittorio Gassman da cui aveva avuto la figlia Victoria. Madre e padre nella finzione, Shelley e Alberto, avrebbero chiuso gli occhi in pace a patto che il figlio avesse assorbito le regole della sopravvivenza sul lavoro al Ministero, istruito dal genitore a «fare sì con gli occhi e no con la testa» perché c'è sempre qualcuno «pronto a pugnalarti alla schiena». L'anziano Vivaldi si assoggettava quindi a subire varie umiliazioni pur di favorire l'assunzione del figlio arrivando, nonostante fosse un cattolico osservante, a iscriversi a una loggia massonica in cambio di una raccomandazione valida. Il destino, però, è in agguato: durante una rapina alla banca dove si trovano i Vivaldi, proprio il giorno degli esami d'ammissione, una pallottola vagante uccide Mario. La madre ha un malore che la rende invalida, il padre rifiuta di riconoscere l'assassino con la polizia per vendicarsi ferocemente con le sue mani. Trova e sequestra l'uomo, lo lega con il filo di ferro e assiste alla sua atroce agonia con Amalia che muore subito dopo. Il finale fa capire che Vivaldi continuerà come Charles Bronson ne *Il giustiziere della notte*, del '74, a farsi giustizia da sé.

Monicelli diresse il film con mano sicura e la critica dirà che aveva saputo catturare i "lugubri rintocchi" degli anni Settanta e cogliere la perdita dei valori positivi della società attraverso la tragica vicenda di cui era protagonista indiscusso Alberto Sordi.

Alla maschera dolente e invecchiata, più della sua vera età, del personaggio di Giovanni Vivaldi, interpretato da un Alberto nel pieno della sua straordinaria maturità artistica, si sovrappone un altro volto dalla somiglianza impressionante. È quello della sorella, la signorina Aurelia, nata nel 1917 e scomparsa il 12 ottobre 2014. Gli italiani hanno imparato a conoscerla nelle foto retrospettive in cui è coetanea di quel borghese piccolo piccolo, oppure, ormai ultranovantenne, in occasione dei servizi d'inchiesta sul pasticcio dell'eredità di Alberto Sordi. Di lei colpisce una sorta di melanconia ineluttabile nello sguardo di chi sa che non avrà più molto da vivere, anche se talvolta emerge in un guizzo inaspettato l'orgogliosa consapevolezza di essere sempre stata la vestale della memoria e degli averi, immensi, del fratello. A lui aveva dedicato il sacrificio di una vita spesa per soddisfare ogni sua esigenza così come aveva fatto l'altra sorella Savina, scomparsa il 19 agosto 1972, entrambe mai sposate, o meglio, zitelle, come si diceva allora con una nota dispregiativa, e non single, etichetta trionfante del terzo millennio delle donne libere e padrone di se stesse.

Come in certi casi di Tangentopoli che attraversarono gli anni Novanta, veri e propri gialli che hanno lasciato molti a chiedersi se alcuni protagonisti fossero stati schiacciati dalla macchina giudiziaria, si è presentato agli occhi degli italiani il pasticcio dell'eredità Sordi. Così attento, così riservato a tutelare la sua vita privata, quello che non è accaduto in vita è accaduto in morte del grande attore "amato come un padre della patria" da milioni di ammiratori. I riflettori si sono puntati sul sacrario della villa di via Druso, e dei suoi abitanti, che era sempre stato difeso dagli occhi estranei.

Nemmeno al suo fotografo di fiducia, Pietro Pascuttini, collaboratore dei settimanali da me diretti, *Gioia*, *Chi* e *Diva e Donna*, Alberto concesse mai il permesso di far pubblicare le foto scattate della villa nelle vicinanze di Porta Metronia e degli ambienti, i saloni e i salotti, pieni di quadri e quadretti d'epoca, tra cui il ritratto di Alberto realizzato dal pittore Geleng, le camere da letto, lo studio, la barberia anni Cinquanta, il teatro. Tutto arricchito da arredi antichi e collezioni preziose raccolte nei decenni di lavoro che l'avevano portato in giro per il mondo, spinto dalla passione per l'antiquariato, che insieme agli immobili, i depositi in banca e tantissimi, preziosi, documenti – lettere, soggetti, trattamenti, spesso con le chiose autografe, copioni, innumerevoli foto e molte pellicole – costituiscono una parte dell'immensa eredità.

Ecco come spiegò Alberto stesso la sua passione quando nel settembre del 2001 andò in visita a Firenze alla BIAF, la Biennale Internazionale dell'Antiquariato.

«Da ragazzo ci avevo fatto un pensierino: da grande, dicevo tra me e me, vorrei fare l'antiquario. Istintivamente da giovane, quando avevo diciotto o diciannove anni, avrei voluto farlo. Questa passione per le cose antiche nacque in me con la frequentazione di un caro amico, l'antiquario romano Apolloni, il quale aveva anche un salotto, dove spesso c'erano tanti personaggi dello spettacolo, Vittorio De Sica, Gino Cervi e Paolo Stoppa.» In quell'occasione Alberto, seduto a tavola accanto a Fabrizio Apolloni, si riferiva al vecchio Vladimiro Apolloni che aveva il negozio in via Frattina a Roma ed era stato ispiratore, con il regista e attore Mario Bonnard, di Petrolini. Il negozio era vicino a quella famosa latteria di cui abbiamo già parlato, frequentata dagli umoristi del Marc'Aurelio, Marchesi, Steno, Metz e Attalo, il vignettista forse più noto del gruppo, quindi anche da Federico Fellini, coetaneo di Alberto, che accantonata la speranza di fare l'attore, si era messo a scrivere i film da realizzare come regista.

Ad accompagnare Alberto, splendido ottantenne, tra i saloni della mostra di Palazzo Corsini, era la colonna sonora composta da Piero Piccioni per il film *Fumo di Londra,* la canzone ispirata dal breve amore per l'inglesina Elizabeth conosciuta durante le riprese. Sarà stata la nostalgia per quell'estate creativa e ricca di passioni che aveva consumato anche con Shirley MacLaine, o il ruolo che aveva ricoperto nel film di Dante Fontana, l'antiquario perugino in vacanza in Inghilterra, fatto sta che Alberto ritrovò la sua vena sarcastica, accusando gli architetti moderni di non sapersi ispirare alla Grande Bellezza delle città italiane, come i capolavori architettonici fiorentini di Ponte Vecchio, Piazzale Michelangelo e Piazza della Signoria, ma di lasciare in giro "tante porcherie".

Per raccogliere una testimonianza diretta sull'attendibilità del testamento della signorina Aurelia stilato quando era ultranovantenne, che con altre azioni finanziarie aveva suscitato il sospetto che fosse incapace d'intendere, in una bella giornata settembrina del 2017, ho incontrato, nel suo studio romano a Lungo Tevere dei Mellini, il notaio che ha raccolto le sue ultime volontà: il dottor Alfredo Maria Becchetti. Ma prima facciamo un passo indietro e torniamo al 2014. Il 12 ottobre chiudeva gli occhi l'erede della fortuna di Alberto, la signorina Aurelia, ultima regina della villa di via Druso, dove lui con le sorelle aveva abitato dal 1958 fino al 2003, anno della sua scomparsa. Una magione, più che una villa, che Alberto sentiva parte della sua stessa carne: «Apro la finestra e vedo Caracalla e il campanile romanico e mi si apre il cuore» confessava. E come non provare un sentimento di gratitudine al Cielo alla vista delle Terme che risalgono al 216 dopo Cristo, fatte costruire dall'imperatore Antonino Caracalla, simbolo eterno dell'antica potenza romana. Alberto le sentiva come messaggere di pietra del suo successo, avvertiva la sensazione scaramantica di essere protetto da quei ruderi maestosi nelle sue scelte lavorative. *«Se so' ancora qua e io so' qua, ce resteremo sempre...»* pensava ad alta voce.

Aurelia Sordi aveva compiuto novantasette anni. Una delle immagini che la ritraggono da molto anziana la vede appoggiata su una coperta celeste mentre guarda l'obiettivo. Sulla spalla sinistra ha il braccio dell'autista peruviano Arturo Artadi: lui ha il faccione sorridente e le trattiene con piglio robusto per il polso la fragile mano, lei indossa gli occhiali e una modesta camicia da notte di flanella e anche se non è pettinata come meriterebbe una padrona di casa erede di un'immensa fortuna, con i denti più o meno a posto, segno che ormai era considerata una "nonna" dai "famigli" peruviani e non un'autorevole datrice di lavoro, appare rilassata. Malata da tempo, circolava il sospetto che negli ultimi anni di vita fosse stata truffata e raggirata dai dipendenti. Per questo, sono stati indagati per "concorso in circonvenzione d'incapace" il notaio Gabriele Sciumbata, l'avvocata Francesca Piccolella e l'autista tuttofare Arturo Artadi. Il 20 ottobre 2015 il gup Costantino De Robbio aveva rinviato a giudizio insieme a loro altre sette persone – tutte accusate in modo differente a seconda del ruolo ricoperto a Villa Druso – di avere effettuato alcune manovre per raggirare la signorina Aurelia inducendola a firmare per 2 milioni e 300mila euro molteplici donazioni a favore della servitù e a sottoscrivere una procura generale per tutti i conti correnti a favore di Arturo Artadi, l'uomo tutto, ma proprio tutto, fare di casa Sordi. Arriviamo quindi alle figure del notaio Sciumbata e dell'avvocata Piccolella: secondo il pubblico ministero Eugenio Albamonte, il notaio, con la collaborazione dell'avvocata, avrebbe rogato la procura di Artadi che «sarebbe stata conferita con l'intenzione degli indagati di assumere in proprio e congiuntamente la gestione dell'ingente patrimonio costituito da beni immobili per un valore stimato e da contanti e titoli già depositati di un valore complessivo superiore ai 30 milioni». Che cosa sarebbe successo, secondo l'ipotesi accusatoria? I soggetti si sarebbero accordati per accaparrarsi l'intera eredità di Alberto Sordi, quindi sul banco degli imputati si sarebbero seduti, oltre al notaio Sciumbata, i due avvocati Piccolella e Carlo Farina. Accusati di ricettazione fino a 400mila euro, anche sei domestici tra cui la storica e fidatissima governante Pierina Parenti. I 37 lontani cugini e pronipoti di Alberto (qualcuno ne ha contato fino a 70 di possibili eredi), imparentati da parte del padre di Alberto, Pietro Sordi, e della madre, Maria Righetti, si erano costituiti parte civile con l'assistenza degli avvocati Francesca Coppi e Azzaro. Tra loro, l'attore Renato Ferrante, che assomiglia in modo impressionante ad Alberto e ha preso parte ai suoi film *L'avaro* e *Assolto per aver commesso il fatto*, e il giornalista Igor Righetti, discendente dalla famiglia della madre Maria.

È necessario ricordare che tale eredità (si è parlato di un patrimonio del valore di 40 milioni di euro, al vecchio conio quasi 80 miliardi di lire) oggi è attribuita alla Fondazione Museo Alberto Sordi, indicata dalla signorina Aurelia come "erede universale" alcuni anni prima della sua morte.

Torniamo quindi al notaio Alfredo Maria Becchetti. Il 20 ottobre 2014, data in cui doveva essere aperto il testamento di Aurelia Sordi, poi slittata, veniva riportato anche il "giallo" di cui era al centro il notaio Becchetti che un anno e mezzo prima era stato ascoltato come persona informata dei fatti dal pubblico ministero Eugenio Albamonte. Intanto, perché sarebbe slittata la data dell'apertura del testamento di Aurelia? Perché mancava il suo estratto di morte, che a differenza dell'atto di morte contiene altri dati come la paternità e la maternità, e serve a dimostrare il luogo e la data della fine della vita e altre eventuali annotazioni fatte sull'atto stesso. Nel 2011 la signorina aveva convocato il notaio Becchetti alla villa per stendere il suo testamento e rendere formale la costituzione della Fondazione Alberto Sordi. I due documenti vennero redatti a breve distanza l'uno dall'altro. In seguito, il dottor Becchetti constatò alcune discordanze rispetto a quello che lui aveva scritto, mettendolo a confronto con lo statuto della fondazione acquisito agli atti dagli investigatori nel 2013. Non era «una minuta redatta da me e infatti non è scritta sulla carta intestata del mio studio sulla quale» ha sottolineato «trascrivo anche le minuzie». Una discrepanza pesante e misteriosa, senza dubbio.

Nel ricordo del notaio Becchetti, testimoni alle stesure erano due impiegati del suo studio, due estranei richiesti espressamente da Aurelia che non voleva nessuno dei domestici o qualcuno dei conoscenti o amici. «La signorina mi dava del tu» mi ha detto ricordando con un sorriso di tenerezza «ma mi chiamava "Notaio".»

Mi ha spiegato inoltre che il compito notarile consiste nel trasformare in documento pubblico il testamento, che è uno strumento giuridico che fa sì che le ultime volontà del testatore siano rispettate in conformità con la legge. Alla domanda che si sono posti in tanti, e cioè se la signora fosse lucida, il notaio, forte della sua professionalità, l'ha confermato. «Il testamento è valido dal momento della morte, fino a querela di falso» ha detto «il che nel caso della signorina Aurelia Sordi è superato, in quanto totalmente valido.» Poi ha aggiunto: «Una fondazione di Alberto Sordi è stata dedicata agli anziani, un Campus Bio-Medico, valore tra i 20 e i 30 milioni di euro, l'altra ai giovani attori. La terza fondazione nata contestualmente da un'idea di Alberto, è il Museo Alberto Sordi, e questo l'ho ripetuto anche davanti al giudice. Secondo la signorina Aurelia, la villa doveva andare al popolo e non al Comune di Roma, una casa che doveva diventare un museo per soddisfare la curiosità di tutti. Una decisione che si sarebbe scontrata in vita con il divieto imposto da Alberto Sordi a far visitare la casa allo scopo di proteggere la sua privacy. La signorina mi disse "Tu dei soldi non ti preoccupare, glieli darò io ai dipendenti. Ci penserò io a loro"». Ma quanti fossero, non è dato sapere.

Con una notazione puntuale, il notaio Becchetti ha aggiunto: «Quando redassi il testamento la servitù era retribuita con gli stipendi secondo i livelli occupazionali all'interno della Fondazione Museo Alberto Sordi che fu costituita il 31 marzo 2011. Oltre ai beni mobili, denaro e titoli, la fondazione sarebbe entrata in possesso della villa in via Druso numero 45 e delle quote della Società Campus Bio-Medico di Roma, detenute dalla signorina Sordi».

La cronaca riporta che il 23 febbraio 2017 il giudice Luigi D'Alessandro ha respinto con una ordinanza il ricorso d'urgenza degli eredi che volevano il sequestro giudiziario della villa. A proposito del Campus Bio-Medico di Roma a Trigoria, secondo il professor Raffaele Calabrò, rettore dell'omonima università, sarà raddoppiato a partire dal 2018 con un investimento di 200 milioni, a conferma della generosa visione di Alberto che con la sua fondazione aveva voluto quel grande centro per la Salute dell'Anziano che ne fa parte.

Un'altra voce che si leva a favore della tesi che la signorina Aurelia fosse lucida al tempo della stesura del testamento è la donna che ha seguito per anni la carriera di Alberto Sordi, la press agent Paola Comin, storico ufficio stampa di Alberto dal 1993 al 2003, l'anno della sua scomparsa, che segue altri famosi assistiti, tra cui Christian De Sica e Lino Banfi. Senza peli sulla lingua, Paola Comin ha definito "avvoltoi" in una puntata di *Domenica Live* condotta da Barbara D'Urso i parenti di Sordi che si sono fatti avanti, aggiungendo che lei non ne aveva mai visto uno frequentare l'attore. «Parenti non ne conosco e non ne ho!» disse Sordi arrabbiatissimo, ricorda Paola Comin, quando si presentò un signore che affermava di esserlo nell'ufficio dell'allora sua press agent Maria Ruhle. D'altro canto, Igor Righetti ha mostrato una foto che lo ritrae con il prozio e ha raccontato di quando si vedevano a cena e delle confidenze sugli amori di cui abbiamo già parlato. Ma non solo. Igor ha voluto ricordare che fu suo nonno, Primo Righetti, a regalare ad Alberto lo smoking che doveva indossare nei primi spettacoli facendogli anche trovare la sorpresa, gradita, di qualche spicciolo in tasca. Alberto aveva la memoria lunga e quando Primo cadde paralizzato, lui lo fece curare da un luminare e ricoverare in una clinica costosa. «Mio padre scultore realizzava i pupazzetti di gesso per il presepe della parrocchia di Alberto» ha aggiunto «e divenne il suo capoclaque nei teatri dove si esibiva all'inizio della carriera. Per questo mantenne buoni rapporti con la mia famiglia.»

Della Fondazione Museo Alberto Sordi, secondo Paola Comin, faceva parte anche Arturo Artadi, perché la signorina voleva una persona "di famiglia" nel Cda per controllare l'uso dei fondi, come del resto nella fondazione era presente anche Giambattista Faralli, il bancario che invece ha denunciato l'Artadi.

Paola, una bella signora bionda, mi ha raccontato con una certa commozione il primo incontro con Alberto. «La Rai stava cercando un personaggio per presenziare all'Umbria Fiction Tv, un festival nato per celebrare la pax televisiva, auspicio per una nuova era dei rapporti Rai-Fininvest, voluto da Enrico Manca, allora presidente della Rai. Il direttore artistico Claudio Gubitosi, il fondatore del Giffoni Film Festival, ne voleva uno "grande, ma grande davvero" e pensarono a Sordi, che però in Rai aveva preso parte solo allo sceneggiato *I Promessi Sposi* con il personaggio di Don Abbondio e fatto ospitate grandiose, indimenticabili come quelle con Mina, perché in quegli anni la televisione era considerata di livello

191

inferiore al cinema e le star non accettavano di prendere parte alle fiction per non perdere di prestigio. Si misero in contatto con Maria Ruhle, che ricevette gli emissari della Rai in via del Pellegrino, vicino a via del Governo Vecchio.»

Paola, l'assistente, ricorda, si mise tutta "acchittata" e Sordi s'interessò alla proposta Rai. «Dopodomani venga a pranzo da me» concluse rivolgendosi alla giovane donna, ammaliato da una presenza femminile così graziosa ed efficiente. «Prenderò parte volentieri al Festival. La fiction è il futuro» concluse poi Alberto.

Proseguendo sul filo dei ricordi, Paola racconta che il lavoro andava a gonfie vele. «All'estero» dice «lui parlava un inglese maccheronico ma si faceva capire benissimo quando arrivavamo a San Francisco o a Los Angeles, dove ricordo la lunghissima fila degli studenti fuori l'aula dell'università dove Alberto avrebbe tenuto una lezione per cui molti non riuscirono ad entrare. Nelle università americane studiavano i suoi film, all'UCLA di Los Angeles proiettavano *La grande guerra*. Gli agenti di Dustin Hoffman e di Al Pacino mi dissero che avevano studiato le sue interpretazioni. Anche in Francia, dopo il trionfo di *Un borghese piccolo piccolo* fu accolto dalla critica in modo entusiastico. I Cahiers du Cinema organizzarono una retrospettiva dei film di Alberto che in pubblico parlava anche il francese in modo maccheronico ma lo capivano benissimo e ridevano e l'applaudivano.»

Quando le ho chiesto se Alberto fosse veramente avaro come lo descrivevano Paola mi ha risposto che «avendo fatto la fame, più che avaro, aveva un grandissimo rispetto del denaro. Vedi il Campus Bio-Medico, una eccellenza su nove ettari di terreno che lui ha regalato, per un valore di molti, molti miliardi. Oltre tanti episodi, voglio ricordare quando *Il*

Messaggero fece una raccolta di fondi per i poveri di Roma circa una trentina di anni fa, e lui regalò in forma anonima tre milioni di lire».

E i figli, possibile che non avesse mai avuto il rimpianto di non averne messo al mondo? Mentre formulavo la domanda pensavo a Enrico Vanzina che mi aveva raccontato che Alberto aveva ritagliato da un giornale americano la faccia di un pupo biondo con gli occhi azzurri che assomigliava davvero a lui quando era piccolo. Si portava il ritaglio nel portafogli come fanno i padri orgogliosi dei loro bambini, e ogni tanto lo tirava fuori e se lo baciava come se fosse veramente figlio suo. Un ricordo davvero toccante che svelava il desiderio di paternità di Alberto.

Paola, in un certo senso confermandolo, ha precisato così: «Ad Alberto piacevano i neonati, quelli paffuti che stavano in braccio, e poi i bambini sui dodici anni, quando non davano fastidio. Da grandi, diceva, se si rompono le balle, se la squagliano e a lui non piacevano. A lui stavano a cuore sorelle e fratello. Non dimentico mai quanto fosse metodico: ogni domenica alle 14 doveva pranzare con la sorella sopravvissuta Aurelia. Ovunque si trovasse, prendeva l'auto o l'aereo per mantenere l'impegno.»

Quanto ai parenti e alle donne, Paola è ancora più decisa. «Alle feste comandate come il Natale, non c'era mai nessun parente. Patrizia De Blanck, che dice di avere avuto una relazione con lui, non me l'ha mai nominata.»

E le donne? Insisto. E male me ne incoglie.

«Sordi mi diceva: non ho mai dormito con una donna, poi un calcio in culo.»

Modestamente.

27

Ciao, Albertone

Il tempo scorreva rapido come la sabbia di una clessidra, la corsa lo pungeva a doversi sbrigare a creare altre storie, poiché se la voglia di cinema non si era placata, gli sembrava che compiuti i settant'anni, doveva fare i conti con la vita che si assottigliava mentre l'età cresceva. La melanconia si adagiava come una polvere sulla sua creatività e gli faceva scrivere film imperniati su maschere dal ghigno triste e feroce. Gli restava la voglia di cavarsi qualche sassolino dalla scarpa, per esempio sbeffeggiare la leggenda metropolitana di cui era stato vittima per tanti anni, cioè di essere un avaro senza alcuna remissione, mentre in realtà era generoso con chi aveva bisogno. Così nel 1990 Alberto scrisse con Sonego, Frugoni e Garbuglia *L'avaro*, tratto dalla commedia di Molière, affidato alla regia di Tonino Cervi, il figlio di Gino e padre dell'attrice Valentina dal fascino misterioso della dark lady. Alberto si era abbrutito in un Arpagone alla romana, padrone di un bordello in cui sfruttava le meretrici senza scrupoli e pietà, da cui traeva i soldi che prestava persino al Papa mentre cercava di evitare di sposare la sorella di un cardinale che si era tolta l'incomodo di tre mariti, ammazzandoli uno dopo l'altro. Con lui c'era Laura Antonelli, ancora lontana dalla fine terribile, prima sulle pagine della cronaca nera, accusata per la detenzione di cinquanta grammi di cocaina, poi vittima di cure di bellezza sbagliate, per finire povera e sfatta, preda di allucinazioni mistiche.

La galleria dei personaggi perdenti, scritti da Alberto con altri sceneggiatori, si arricchì del marchese Arquati d'impronta belliniana nel film di Magni *In nome del popolo sovrano*, e del cameriere Sabino, vessato e disprezzato dai clienti ricchi e arroganti nelle *Vacanze di Natale* di Enrico Oldoini.

In pubblico Alberto si era addolcito, perché a Valmontone, intervenendo a settantasei anni per celebrare l'atto di nascita del padre Pietro del 19 novembre 1894, raccontò con gli occhi umidi di commozione di quando gustava nella località laziale gli gnocchi fatti a mano della zia Ginevra. «Dovrei essere triste, perché tanto tempo è passato da quando mio padre Pietro mi portava qui, ma invece tutto ciò mi rende allegro perché, uno a uno, mi vengono in mente tanti ricordi felici.» Era *Il Corriere della Sera* ad aver registrato fedelmente le sue parole, perché Sordi era sempre un divo e lo sarebbe stato per sempre, anche se travestiva con il solito ampio sorriso le pene che gli amareggiavano la bella esistenza che si era costruito. Lui era un uomo del fare e non si sarebbe mai rassegnato al ruolo del pensionato di lusso. Non aveva però perso il suo senso dell'ironia, come dimostrò a Milano nel maggio del 1997 durante la cena di gala organizzata in suo onore all'Hotel Pincipe di Savoia dall'AMAL, Associazione Milanese Amici della Lirica. Si fece attendere oltre misura dai trecento invitati così il presidente, il marchese Alberto Litta Modignani, inviò la cerimoniera Daniela Javarone a recuperarlo in camera. Sostando davanti all'ascensore, Daniela borbottava ad alta voce improperi del tipo "vecchio rimbambito" quando la porta si aprì su Alberto che la perdonò con un sorriso divertito.

Nel 1992, girò, con la sua regia, *Assolto per aver commesso il fatto*, ambientato nelle piccole televisioni private, in cui oltre ad Angela Finocchiaro appariva l'esordiente giovane presentatore Marco Predolin, tornato di recente in tv con l'edizione del *Grande Fratello Vip 2*. Nel 1995, invece, fece *Romanzo di un giovane povero* di Ettore Scola, con Isabella Ferrari premiata con la Coppa Volpi a Venezia, e Alberto nel ruolo di Bertoloni, un uomo che circuiva un giovane per fargli uccidere la moglie. A segnare il suo cuore, però, tanta era stata la partecipazione emotiva nello stendere il soggetto con Sonego, fu il film del '94 *Nestore, l'ultima corsa*. Una storia commovente, in cui più che nel vecchio vetturino Gaetano prossimo a essere ricoverato in un ospizio, Alberto forse s'identificava con il cavallo Nestore, a cui dedicò persino una sorta di monumento piazzato nel giardino della villa. Nestore era destinato al mattatoio perché non ce la faceva più a trottare per Roma tirando la carrozzella dei turisti, uno dei tanti cavalli che i romani ricordano ancora stazionare pazienti e umiliati con il paraocchi a Piazza di Spagna in attesa, sempre più improbabile, di qualcuno desideroso di vedere il centro con le sue chiese o Villa Borghese, trasportato al passo dalle caratteristiche carrozzelle nere. Nestore rappresentava la metafora di chi non è più utile alla società e che quindi viene cancellato, dimenticando valori come la gratitudine, il rispetto, l'affetto. Un rischio corso anche da un attore come Sordi che, pur grande e famoso, se col volto stanco segnato dagli anni avesse fatto flop, sarebbe stato portato al "mattatoio" dei dimenticati.

Facciamo un passo indietro, al 1992, quando Alberto, sapendo che non l'avrebbe più potuta sfruttare per le sue scappatelle segrete e le vacanze, aveva venduto la villa acquistata a Castiglioncello nel 1962. Come d'abitudine, aveva investito in terreni, vedi quello di Trigoria poi donato in parte per la rea-

lizzazione del Campus Bio-Medico, e in varie residenze presti-
giose, gli appartamenti a Parigi e, appunto, la bellissima villa
bianca della località toscana, arricchita da una folta macchia
mediterranea, che negli anni Sessanta era la meta estiva prestigiosa delle celebrità di Cinecittà: Bice e Paolo Panelli, Walter
Chiari, Vittorio Gassman e Marcello Mastroianni, che nella
sua residenza sul mare trascorreva infuocati weekend di passione con l'amatissima attrice americana Faye Dunaway, un
grande amore finito male perché Faye lo lasciò a causa del di-
niego di Marcello di divorziare dalla moglie Flora Carabella.
Tra i miei ricordi, c'è quella villa di Sordi prima che fosse ri-
comprata dopo molti anni, valutata 15 milioni di euro. Durante le passeggiate a Castiglioncello, la vedevo ormai abbando-
nata, le grandi vetrate rotte da cui sembravano volare via lem-
bi di tende bianche come vele, ultimo reperto di tante gloriose
estati, che si ergeva come una sentinella a sorvegliare dall'alto
del promontorio il Mar Tirreno.

Il 1999 è l'anno in cui rividi Alberto a Salsomaggiore. A
settantanove anni lui era presidente della giuria artistica di
Miss Italia che incoronò Manila Nazzaro; giuria di cui, con
Sandra Mondaini e il visagista Gil Cagnè e altri, facevo parte
anche io, mentre nella giuria tecnica spiccava il pittore ama-
to da Fellini, Rinaldo Geleng, testimone delle sue nozze con
Giulietta Masina il 30 ottobre 1943 e festeggiate a teatro con
Alberto capocomico. Fu un incontro tenero e commovente e
Alberto, sempre più assomigliante a mio padre, mi lasciò
con un dolce, paterno bacio d'addio.

L'anno prima, il 1998, aveva realizzato *Incontri proibiti*, con
protagonisti Valeria Marini appena trentenne e il mito Alberto Sordi, che non faticava a interpretare un ottuagenario,

felicemente sposato, corteggiato insistentemente da una giovane e bella infermiera gerontofila. Alberto era l'ingegnere Armando Andreoli che incontra Federica Pescatore e se ne innamora, è lasciato dalla moglie Alessandra, interpretata da Franca Faldini, la vedova di Totò, bellissima a qualsiasi età, grazie alla classe e a un volto elegante, tornata sullo schermo dopo un'assenza di quarant'anni, dicendo con straordinaria modestia che era conscia di aver regalato al cinema un'attrice cagna in meno e una spettatrice appassionata in più. Armando non riesce a credere che una ragazza splendida come l'infermiera sia veramente presa e la lascia per scoprire che arrivata all'altare, Federica abbandona il promesso sposo per mettersi con il vecchio padre di lui. Paradossale, certo, e melanconico, il film non ebbe successo, tanto che per tornare sul mercato, nel 2002 subì una riedizione cambiando anche il titolo in *Sposami, papà*.

Valeria mi racconta così il suo primo incontro con Alberto: «Mi aveva vista in televisione mentre facevo parte dello show del Bagaglino e l'avevo colpito. Mi contattò tramite Paola Comin. Sapevo che il personaggio di Federica poteva avere il volto di Manuela Arcuri, di Sabrina Ferilli o di Monica Bellucci».

Una bella concorrenza, davvero, e Valeria continua così con i suoi ricordi: «Io mi trovavo a Los Angeles per studiare e pensavo a uno scherzo. Quando scoprii che era tutto vero, feci il provino lì, proprio a Los Angeles, dove c'era la mitica Hollywood». E questo le portò fortuna perché Alberto la scelse per il ruolo della protagonista.

«Il ricordo più bello che ho di Sordi è che portava in sé tutti i suoi personaggi che aveva interpretato o creato. Passavo le ore in camerino ad ascoltare il racconto di come aveva fatto la storia degli italiani. Lui mi rivelò che leggeva i quotidiani con Rodolfo Sonego e ne traeva spunto, tranne che per il film *Un borghese piccolo piccolo* che fu ispirato dal romanzo di Cerami. Tornando a *Incontri proibiti*, si doveva chiamare *Lezioni di Tango*, ma l'anno prima era uscito un film con quel titolo, con la regia e l'interpretazione di Sally Potter, e bisognò cambiarlo.»

Durante la conferenza stampa della presentazione, Alberto spiegò che la Marini non era vera, bensì era il «parto di un grande disegnatore, che esaltava elementi del suo corpo per far godere gli uomini». Con lui, spiegava, il pubblico avrebbe visto una Marini diversa. «Le ho chiesto di essere se stessa, una ragazza semplice, deve dimenticare la soubrette». Emerse così il ricordo dell'antica partecipazione al teatro della rivista. «Io ho fatto l'ultima rivista di Wanda Osiris, che era un'apparizione, non si capiva chi fosse, da dove venisse. Si capiva solo quando inciampava in un gradino e diceva *li mortacci...*»

Alberto nel descrivere il carattere dell'ingegnere ottuagenario si lasciò scappare la fotografia reale della sua esistenza, fatta come per il personaggio del film, di una «serenità rassegnata».

«No, non m'innamorai né mi corteggiò» continua il suo racconto Valeria «ero stata fortunata a lavorare con lui, provavo affetto, era un uomo che mi piaceva, buono, generoso, non credo che fosse tirchio, tanta era la beneficenza che faceva. Era diffidente, galante, un playboy che ha portato in pubblico la sua vita. Aveva un così grande carisma, che in sua presenza non riuscivi più a parlare. Mi ricordava un po' mio papà. Sordi adorava il presidente Berlusconi, ma non gli interessava la politica, anzi ne rideva, ah ah, con quella sua caratteristica risata. "Certo, ti meriti l'Oscar alla carriera" gli dicevo, ma lui mi rispondeva che il suo vero Oscar era l'affetto del pubblico italiano.»

Che fosse un po' di parte Valeria Marini, l'ultima attrice a recitare accanto a lui, affascinata dalla personalità di un grande attore e regista come Alberto, possiamo darlo per scontato. Per sgombrare il sospetto, chiediamo come lo ricorda a Gigi Marzullo, il giornalista che ha messo da parte la laurea in Medicina, abituato a stanare la personalità di tanti personaggi con la domanda trappola «si faccia una domanda e si dia una risposta». L'aveva intervistato a Venezia nel 1995 in occasione della 52ma edizione del Festival cinematografico quando a settantacinque anni gli fu attribuito il Leone alla carriera con Monica Vitti, e a Roma, negli studi televisivi della Rai nei programmi culto *Mezzanotte e dintorni* e *Sottovoce*. Ricorda ancora il suo vocione se lo incrociava nello spiazzo all'interno di via Teulada come nel finale di *Guglielmo il Dentone* a braccetto trionfante con le Kessler. «Marzullo! Marzullo!» risuonava il richiamo suscitando l'attenzione di tutti i presenti che si voltavano riconoscendo il divo anche da lontano.

«Intervistare Alberto Sordi è stata un'esperienza gratificante con le risposte a sorpresa che mi dava, sorprendendosi alle mie domande. Lui, il più italiano dei romani, l'uomo senza imbarazzo che guardava più agli altri che a se stesso, ha regalato perle di saggezza, bontà e saper vivere. Del suo lavoro, diceva che era duro e di responsabilità morale. Quando gli parlai della sua eventuale nomina a senatore a vita, mi rispose che se e quando fosse entrato in Parlamento, si sarebbe alzato e avrebbe detto: "Signori, per quarant'anni vi ho fatto ridere, adesso fatemi ridere voi!". Mi disse che era un cattolico osservante e che andava a inginocchiarsi in chiesa. Era semplice, umano, delicato, conservava un non so che di bambino, ma dava risposte inclusive, mai dubbiose, era un uomo che non divideva, con ciò non era un buonista che assolveva per non essere antipatico. Bello dentro, davvero, regalava serenità ed era positivo. Posso dire che mi trattava con grande gentilezza, affezionato perché mi diceva che gli entravo in casa quando mi guardava di notte. Abbiamo parlato di matrimonio, di solitudine, dei figli che non aveva avuto, e mi sentivo trattato da lui proprio come un figlio.»

Marzullo traccia il ritratto di un Sordi che, diventato vecchio, poteva mostrare finalmente il bambino creativo e geniale che ogni vero artista conserva dentro di sé, il bambino che è semplice e ingenuo, che ancora non conosce i dolori e le esperienze negative della vita e che prova empatia verso il prossimo non scalfita dall'invidia e dalla malvagità. Come se l'età gli avesse conferito il privilegio di tornare indietro, al bambino cresciuto in via San Cosimato 7, a Trastevere, in una famiglia modesta e allegra, con il padre artista e musicista, la mamma sempre pronta a sostenerlo con affetto nelle sue birichinate, il fratello e le sorelle a viziarlo perché era il più piccolo. Alberto ormai era un uomo che donava serenità mostrando la gioia di vivere con la semplicità di chi non si fa vanto superbo del proprio potere e della ricchezza, che sapeva usare per beneficare giovani e anziani.

Non aveva neanche perso il gusto della galanteria e lo dimostrò a Laura Biagiotti, la dolce e bella signora della moda scomparsa recentemente. Entrambi erano stati invitati a una cena dall'allora sindaco Rutelli nella sua casa all'Eur e al ritorno la stilista si offrì di dargli un passaggio con il suo autista Mario.

Sordi accettò di buon grado e con un inchino e un baciamano, ne approfittò per dirle che nei suoi sogni avrebbe voluto sposare una donna come lei. Arrivati davanti alla villa di via Druso, anche se era tardi, circa mezzanotte, trovarono un gruppetto di ragazzi che stazionava sperando di vedere entrare o uscire l'attore. Quando avvistarono l'auto e lo videro scendere, i giovani cominciarono ad applaudirlo e a chiedergli l'autografo. La fama di Sordi era immensa e transgenerazionale.

A dimostrargli tanto affetto con un ultimo abbraccio furono più di duecentocinquantamila persone, il numero stimato dal Campidoglio, radunate davanti alla Basilica in piazza San Giovanni il 27 febbraio 2003, soltanto una rappresentanza dei milioni e milioni di ammiratori addolorati per la sua scomparsa. Alberto si era ammalato di tumore ai polmoni nel 2001 e aveva dovuto diradare la sua presenza in tv, dove l'ultima apparizione fu da Bruno Vespa a *Porta a Porta*. Aveva sopportato la sua malattia con il coraggio e il pudore che aveva sempre dimostrato nella vita privata, finché fu stroncato da un inverno che lo soffocò con l'ultima broncopolmonite.

Il corpo imbalsamato come un antico faraone, il corteo funebre uscì da via Druso alle nove e trenta del mattino, s'inoltrò verso via Fori Imperiali e poi attraversò via Merulana per arrivare in piazza San Giovanni circondato da due ali di folla che si era radunata in attesa da più di un'ora. Lungo il tragitto, il volto di Alberto sorrideva sui manifesti affissi con la scritta "Roma tua ti saluta" e sembrava che non avesse mai lasciato il suo pubblico come aveva fatto per più di sessant'anni di carriera. I taxi mostravano il lutto con un nastro annodato sull'antenna, schermi giganti erano stati posti nella piazza in modo che la grandissima folla fuori la Basilica potesse seguire il funerale. Il sindaco di Roma, Walter Veltroni, seguiva il feretro dando il braccio alla sorella di Alberto, la signorina Aurelia, che aveva ottantasei anni. Partecipavano il presidente della Repubblica Azeglio Ciampi, il presidente della Camera Pier Ferdinando Casini, il ministro Urbani, il sottosegretario Gianni Letta, il ministro Gasparri, i presidenti della Regione e della Provincia Storace e Moffa. Assente il premier Berlusconi. Era presente anche l'ex sindaco Francesco Rutelli, che l'aveva accolto trionfalmente in Campidoglio offrendogli come regalo per il suo ottantesimo compleanno la carica virtuale di sindaco per un giorno. E poi c'era una piccola rappresentanza dei colleghi, Gigi Proietti, Carlo Verdone, Valeria Marini, Renzo Arbore.

Dotato di fede semplice, Alberto Sordi aveva interpretato la miseria e la nobiltà dell'animo umano, disse il Cardinale Ruini, mentre in aria volteggiava lo striscione con la scritta "Ieri un americano a Roma, oggi un romano in Cielo".

A nome di tutti, grazie, Alberto.

Ringraziamenti

Ringrazio dell'affettuosa cordialità con cui mi hanno trasferito le loro testimonianze:

Enrico Vanzina, autore e regista, figlio del grande Steno; Alfredo Maria Becchetti, il notaio che ha curato le ultime volontà di Aurelia Sordi; Paola Comin, la storica press agent; Valeria Marini e Gigi Marzullo.

Finito di stampare nel giugno 2018
presso 🐾 Grafica Veneta S.p.A., Trebaseleghe (Padova)